# 어둠과 소녀

어둠과 소녀

발  행 | 2023년 12월 01일
저  자 | 태수련
펴낸이 | 한건희
펴낸곳 | 주식회사 부크크
출판사등록 | 2014.07.15.(제2014-16호)
주  소 | 서울특별시 금천구 가산디지털1로 119 SK트윈타워 A동 305호
전  화 | 1670-8316
이메일 | info@bookk.co.kr

ISBN | 979-11-410-5643-8

# 어둠과 소녀

태수련 지음

# CONTENT

1장   어둠 소녀 수사 5

2장   어둠 소녀 수사 19

3장   어둠 소녀 수사 29

4장   어둠 소녀 수사 38

5장   어둠 소녀 수사 47

6장   어둠 소녀 수사 59

7장   어둠 소녀 수사 71

8장   어둠 소녀 수사 80

9장   어둠 소녀 수사 87

10장   어둠 소녀 수사 93

마지막장   어둠과 소녀 101

# 1장. 어둠 - 첫 번째

어둡다.

세상의 어둠을 모두 모아 농축해놓은 것 같은 어둠이 사방에 펼쳐져있다. 마치 늪 속에 있는 듯, 아니 저 마리아나 해구 속의 깊디깊은 심해 속에 있는 것 같다. 어둡다, 너무 어둡다.

이곳은 지하실이다. 어떤 용도의 건물인지는 알 수 없지만, 뭔가 사정이 있어 관리하는 사람이 없는 버려진 건물이 되었고, 그 건물의 지하실에 내가 끌려 들어온 것이다.

아마도 그리 크지 않은 공간일 것이다. 주변에 있는 마을이나 오가는 사람들의 모습을 생각하면, 몇 십 층이나 되는 건물은 아닐 것이다, 그런 건물이 있을 이유가 없는 소박한 마을이 주변에 있을 뿐이니까. 다만 어마어마하게 커다랗다고 생각되는 것은, 이 지하실에 갇혀있는 내가 여섯 살 밖에 되지 않았기 때문이다.

직육면체 모양의 공간 중 그 아랫부분의 4분의 3 정도가 지면 아래에 묻혀있는 형태의 지하실이다.

천장은 아마도 윗층의 바닥을 겸하고 있을 것이다. 물론 이곳에 끌려 들어온 뒤로 쭉 아무 소리도 나지 않는 걸 보면, 윗 층에는 사람이 없는 것이 분명하다.

빛이 없는 것은 아니다. 까마득히 머리 꼭대기, 창문이 있기 때문이다. 지면 아래에 묻혀있지 않은 직육면체의 위쪽 4분의 1 부분, 그곳에 창문이 있다. 문을 제외하면 바깥이 보이는 아주 작은 트인 공간이다. 밖에서 보면, 지면에 바로 붙어있듯이 높이 한 뼘, 가로 다섯 뼘 정도 되는 창이 보일 것이다. 환기 때문인지, 아니면 다른 이유에서인지는 알 수 없지만, 이 집을 만든 사람이 그래도 이 공간에 창문을 만들어 놓은 것이다. 아침이 되면, 그리고 점차 낮이 되면, 이 작은 창문으로 구원 같은 햇살이 스며들어온다. 이 지독한 심해 속의 유일한 빛.

그러나 이 공간을 밝히기에는 너무나 부족한 빛이다. 햇빛은 창문 근처에만 빛을 고여 놓는다. 빛이 이 공간을 훤히 다 밝히기에 이 지하실은 너무 깊이 있는 것이다. 천장을 보면 형광등이 달려있지만, 관리하는 사람이 없으니 전기도 예전에 나갔을 것이다. 그래서 이 햇빛은 제발 조금만 더 머물러달라고 애원하는 마음에도 소용없이 낮이 저물면, 저녁이 되면, 밤이 되면... 빛을 가혹하게 거두어들인다.

이곳은 그래서 언제나 어둡다.

낮에도 어둡고, 밤에는 더욱 어둡다.

인간은 누구나 어둠을 두려워한다. 그것은 유전자 아니면 인간 뱃속 깊이 어딘가에 공통적으로 들어있는 형질 중 하나일 것이다. 인간은 두더쥐나 박쥐와는 달라서, 빛이 비치는 곳, 사물이 명확히 드러나는 곳, 그리고 적당히 따뜻하고 쾌적한 시공간을 지향하게 만들어져 있다. 그런 인간에게, 먹물 같은 어둠은 주변 상황의 인지를 어렵게 만들고, 그 같은 상황에 인간은 공포에 떨고 겁을 먹게끔 되어있다. 그런 공간 속에 내버려진 여섯 살 아이의 마음은 어떠하겠는가.

게다가 어둠에게는 힘이 있다. 어떤 물리력도, 어떤 형태도 없는 이것은 그러나 숨이 짓눌릴 것 같은 압도적인 존재감을 갖고 있다. 어두운 숲 속을 전등 하나 없이 헤맨다고 생각해보라. 아무 일이 일어나지 않아도, 그런 상황에서 대부분의 인간은 한 없이 긴장하고 무의식적으로 뭔가 꺼림칙한 것을 머릿속에 상상해낸다. 공포에 차츰 굴복하는 것이다. 글자 그대로 기가 죽고, 몸도 마음도 움츠러들어 결국 그 무서움 앞에 무릎을 꿇고 만다.

마치 높은 수압에 짓눌려버린 작은 생물처럼...

그래, 신체는 어떤지 몰라도 적어도 정신은, 나의 마음은 이미 예전에 이 공포에 압사당한 것이다.

공기가 텁텁하다. 무언가 무거운 것이, 꺼림칙한 것이 공기 속에서 가라앉아 이곳에 고인 것 같다. 숨을 들이셔도, 내쉬어도 상쾌하지 않다. 이 공기는 무언가 산소라든가 그런 신체에 필요한 것이 부족하고 습기 가득한 어딘지 찝찝한 공기다. 끈적한 물기와, 더러운 먼지들, 순환되지 않아 아주 오래 된 불결함 등이 이 공기를 지배하고 있는 것이다.

무겁고 거부감이 드는 공기.

바닥은 왜 이렇게도 지저분할까. 먼지와 모래와 쓰레기가 사방에 널려있다. 발바닥에 들러붙어 떨어지지 않는 이물질들 때문에 피부가 가렵다. 드러누우면 온 몸에 그것들이 달라붙는다. 나무막대기와 종이조각, 천 조각인지 마대자루조각인지 그런 것들도 널려있다. 쓰임새를 도통 알 수 없는 철제 덩어리에, 녹슨 못도 굴러다닌다. 원래 용도는 뭐였는지 파악할 수 없는 물건들도 여기

저기 널려있다. 청소라는 것을 하지 않으면, 인간의 공간이란 얼마나 더러운 것인가.

벽지는 하얀색 뭐 그런 계통인 것 같다. 하지만 사방이 어둡기 때문에, 정확한 색깔은 알 수가 없다. 그리고 청소가 되어있지 않기 때문에, 때와 먼지, 거미줄과 섬뜩한 느낌을 주는 얼룩 같은 것들이 잔뜩 들러붙어있다. 더렵혀진 흰 색.

시멘트에서 냄새가 난다.

생물과 그 부산물에서만 냄새가 난다고 생각할 수도 있지만, 사실은 모든 만물에 냄새가 있다. 생명 없는 물질에도 말이다. 이 지하실을 이루고 있는 시멘트에도 냄새가 있다. 시멘트만의 냄새가 아니고, 이 지하실의 끈끈한 습기와 먼지, 그리고 쓰레기와 다른 여러 가지 것들이 섞여서 특이한 냄새를 풍긴다. 글로 표현하기 힘들지만, 일단 맡으면 기억하게 된다. 은은하면서도 지속적으로 풍겨나 머릿속에 기억되는, 묵직한 존재감을 가진 그런 냄새.

이곳에는 쥐도 있다. 틀림없는 쥐다. 처음 그 검은 형체가 꾸물꾸물 움직이는 것을 보자마자 소스라치게 놀라 비명을 질렀다. 한 마리는 아닌 것 같다. 하긴 이런 곳에는 쥐며 바퀴벌레 같은 것이 넘쳐나는 것이 당연할 것이다. 쥐는 뭔가 존재하는 것만으로도 인간의 마음속에 있는 꺼림칙한 상상력을 건드린다. 혐오감이 드는 것이다. 그리고 쥐도 냄새가 난다. 시궁창 냄새가 난다. 시궁창을 드나드는 동물이니 당연한 것일까. 맡기만 해도 속이 메스꺼워지는 아주 더러운 냄새가 난다. 쥐는 굉장히 빠르다. 나타난 곳에서 삽시간에 이동해 사사삭 어딘가로 사라진다. 그리고 여섯 살 아이를 겁먹게 할 만큼 덩치가 크다. 그 사각거리는 움직임 소리가, 무언가를 먹는 것인지 갉는 것인지 꿈틀거리는 소리가 들린다. 파동이 느껴진다. 징그럽다. 역겹다. 토할 것 같다.

도망치고 싶다. 당연히 도망치려고 했었다. 이 지하실에 문은 하나 밖에 없다. 공간을 이 잡듯이 살펴보았다. 그러나 다른 출구는 없었다. 창문은 너무 작아서 몸이 빠져나가지 못한다. 그나마 높게, 여섯 살 아이의 손이 닿지 않는 높이에 있다.

유일한 출구인 문은 그러나 육중하게 잠겨있다. 문은 철제테두리에 불투명 유리가 박혀있다. 유리부분을 깨려고 해보았지만 튼튼해서 깨지지 않았다. 지하실 바닥에는 온갖 것들이 널려 있으면서 정작 유리를 깰만한 도구는 없었다.

문을 아무리 흔들어도 열리지 않는다. 유리 너머로 보인다. 쇠사슬이 걸려있다. 밖에서 출구를 쇠사슬로 두르고 자물쇠를 건 것이다. 갖은 애를 다 써보았지만, 문은 열 수 없었다. 그런데 생각해보니, 문을 부술만한 도구가 있었다한들, 어린아이인 내가 그 도구를 이용해 문을 부술 수는 없었을 것이다. 결국, 아무 소용없는 짓이었다...

기운이 없다. 얼마나 이곳에 갇혀있었던 것일까. 공포와 허기는 사람을 지치게 만든다. 목이 타는 것 같다. 목구멍 안 쪽 살 전체가 사포로 변해버린 것 같다. 뭐든 마실 수만 있다면, 내장이라도 내줄 수 있을 것 같다.

아, 소리가 들린다.

문 바깥에 걸려있는 무거운 자물쇠를 푸는 소리가 들린다. 철컥철컥... 철컥철컥...

끼이이하는 소리가 나고...

문이 열린다.

이 지하실은 바깥과 통하는 문과 이 바닥 사이에 철로 된 계단을 설치해놓았다. 네 단 정도 되는 야트막한 계단. 꽤 오래된 것인지, 아니면 손질을 안 한 것인지는 모르겠지만 계단에 녹이 슬었다. 그래서 손을 갖다 대면 녹이 떨어진다. 잘은 모르겠지만 철제 안 쪽은 비어있는 것 같다. 그래서 이 계단을 사람이 밟으면 텅! 하는 소리가 난다.

텅!

소리가 났다.

텅!

다시 소리가 났다.

계단을 밟아 내려오고 있다.

내려오고 있다.

그 남자가 내게 다가오고 있다.

## 소녀 - 첫 번째

은경은 뒤를 돌아보았다.

시선이 느껴졌기 때문이었다. 그러나 은경을 바라보는 사람도, 자신의 뒤를 따라오는 사람도 없었다. 해가 저문 뒤의 어스름이 내린 버스 정류장. 왕복 2차선 도로 가장자리에 위치한 이곳에 인적은 거의 없고 중년 여성 한 명, 여중생 한 명이 각자 제 갈 길을 바삐 걸어가고 있을 뿐이었다. 은경을 주시하는 수상쩍은 그림자는 전혀 없었다.

기분 탓인가, 은경은 생각하고 바삐 자취집으로 향했다.

버스 정류장에서 은경의 자취집까지는 대략 5분 거리이고, 사람들이 많이 왕복하는 골목으로 그리 위험한 곳은 없었다. 다만 어제 퇴근하는 길 중간에 있는 가로등 하나가 깜빡거리는 것을 보았다. 그래서 오늘은 혹시 아예 꺼져있는 것이 아닌가하여, 은경은 오늘 짬이 났을 때 병원 편의점에서 커다란 회중전등을 사두었다.

걸어가다 보니, 예상한 대로 가로등은 꺼져있었다. 그 곳 주위만 먹물을 뒤집어쓴 것처럼 어두웠다. 은경은 가방에서 오늘 산 회중전등을 꺼내 손에 들고 불을 켰다. 환하게 밝아졌다. 안심이 된다. 스마트폰 조명도 있긴 하지만, 그건 이만큼 밝지 않아서 마음에 차지 않는다.

집에 도착했다. 회중전등을 겨드랑이에 끼고, 가방 속에서 열쇠를 꺼내 열쇠구멍에 꽂아 넣고 비틀어 현관문을 열었는데 온 집

안에 불이 환하게 켜져 있었다. 아침에 출근하던 그대로.

은경이 자취하는 곳은 3층짜리 단독주택의 1층에 있는 방으로, 작은 거실 겸 주방, 방 1칸, 욕실과 베란다가 딸려있는 10평 조금 넘는 그런 방이었다. 크지는 않지만 깨끗하고, 햇빛도 잘 들고 환기도 잘 되어서 마음에 들었다. 그리고 은경은 주거공간이 꼭 크고 화려해야 한다고 생각하지는 않았다. 꼭 필요한 것만 갖추어져있으면 되고, 작아서 아늑했다. 그리고 무엇보다, 낮에는 햇빛이 잘 들어와서, 밤에는 집 근방에 설치된 가로등이 환하게 창문을 밝혀주어서 방안이 늘 환한 것이 마음에 들었다.

집으로 들어와 현관문을 닫아 잠근 후, 은경은 바로 스마트폰을 꺼내 엄마에게 전화를 걸었다. 올 초부터 병원에서 간호사 근무를 시작하면서 집을 나와 병원 근방에서 자취를 하게 되었는데, 걱정 되니 하루도 빠지지 말고 퇴근하면 자신에게 전화를 달라고 엄마가 당부하신 것이다.

신호가 간지 얼마 안 돼 엄마가 전화를 받았다.

- 엄마? 저예요, 은경이.

- 예 지금 막 퇴근했어요, 집이예요.

- 아픈 데 없어요. 다만 오늘 수간호사 선생님한테 엄청나게 혼나서...

- 주사기를 트레이에 담아서 들고 가다가 어떤 환자분이랑 부딪쳐서 다 떨어뜨려서 깨버렸지 뭐예요, 전 소리 지르고 주사기는

다 박살나고... 약을 전부 다시 만들어야 했거든요.

- 예 괜찮아요, 제가 실수한 거니까요. 수간호사 선생님께 싹싹 빌었어요.

- 참 아빠한테 아까 버스 안에서 전화 드렸더니 안 받으시던데... 아, 교회 가셨어요?

- 예 이번 주말에 집에 갈께요.

- 그럼 엄마 주무세요, 사랑해요.

통화를 마친 후, 은경은 방바닥을 대충 훔친 다음 화장대 앞에 앉아 화장을 지우고, 욕실로 가서 씻었다. 그리고 방으로 돌아와 잠옷으로 갈아입고 TV를 켰다.

케이블 방송에서 한국 공포영화를 방영하고 있었다.

은경은 영화 분야 쪽에는 전혀 관심이 없어서, 신작 영화라든가 최근에 유명해진 배우들은 하나도 몰랐다. 그래서 지금 방영하는 영화도 무슨 영화인지 알 수 없었고, 배우들도 하나 같이 처음 보는 사람들이었다.

영화 속에서 여성 한 명이 잔뜩 겁에 질린 모습으로, 한 밤 중에 폐가에서 헤매고 있었다. 배경음악은 음산하고 조명도 어두웠다.

공포영화의 상투적인 장면들 중 하나였다. 밤 늦은 시간에, 주인공 혼자서, 뭔가 수상쩍고 음산한 장소에 혼자 찾아가는 (밝은 대낮에 여러 명이 함께 가면 안전할텐데!) 전형적인 장면.

배경음악이 점점 더 무서워지기 시작해서, 은경은 채널을 다른 데로 돌렸다. 공포영화는 좋아하지 않는다.

자려고 이부자리를 깔았을 때였다. 그 때.

은경은 문득 아까 버스 정류장에서 느꼈던 기분을 다시 인식했다.

시선이다.

은경은 잠시 자리에 앉아, 방안과 거실을 둘러보았다. 하지만 당연히 혼자 쓰는 이 방 안에는 자신 말고 아무도 없었다. 작은 방인데다 가구도 별로 없어 사각지대 같은 것도 없고, 현관은 철제로 되어있고 분명히 아까 들어오면서 잠궜으며, 창문은 바깥에 철망이 쳐있고 창문의 잠금장치는 아침에 출근할 때 잠긴 상태 그대로였다.

하지만 뭔가가,

아니 '누군가가',

곁에서,

마치 투명인간 같이 보이지는 않지만 존재감을 드러내며...

지금 나를 쳐.다.보.고. 있.다.

은경은 잠시 앉아 있다가, 고개를 흔들고 담요를 폈다. 집 안에는 분명히 아무도 없다. 아무래도 오늘은 일진이 나빠 긴장한 탓일 것이다. 이러고 시간 낭비할 때가 아니다. 내일도 출근이다. 일찍 일어나야 하니까...

불을 켜둔 채로, 은경은 담요 속으로 들어가 눈을 감았다.

심호흡을 했다. 그리고 잠을 청했다. 시간이 조금 지나...

은경은 잠들었다.

그러므로 지금 이것은 꿈이다.

자각몽이다.

소리가 들렸다.

낮은 소리, 하지만.

참으로 소름 끼치는 소리였다.

은경은 처음에 이것이 신음소리라고 생각했다. 고통에 겨워 신음하는 소리. 그러나 조금 지나 소리가 점점 커지면서, 은경은 이것이 신음소리보다는 웃음소리에 가깝다는 생각을 했다. 밝은 웃음소리가 아닌, 동화 속에 나오는 무서운 마귀할멈의 악의에 찬 듯한 무시무시한 웃음소리.

그러나 그 소리가 더욱 커져 귀를 찌를 듯이 높아졌을 때는, 이번에는 이 소리가 울음소리가 아닌가하는 생각이 들었다. 뱃속 깊은 곳에서 터져 나오는 비명 같은 울음소리. 처음과 달리 이젠 엄청나게 큰 소리라서, 귀를 파고들고 뇌를 마비시키고 내장을 찌르는 듯하다.

그리고 이 형언할 수 없는 소음은 틀림없는 사람의, 여섯에서 일곱 살 쯤 된 여자아이의 목소리다.

여자아이가 신음인지, 음산한 웃음인지, 울음소리인지 알 수 없는 소리를 질러대고 있다.

끼이이이이께에에에에끄으윽아아아아아아아아아아아아아아아악!!!

은경은 벌써 예전에 겁에 질려, 꿈속에서 귀를 막고 눈을 감고 있었다. 이 기묘하고 부정적인 소음은 등골을 오싹하게 했다. 듣고 싶지 않다. 안 들리는 곳으로 도망치고 싶다. 그러나 야속하게도 여기는 꿈속이라, 멈출 방법도 도망칠 방법도 없었다.

기괴한 소음은 계속되고 있었다.

그리고 인기척이다.

소리도 나지 않고, 눈을 감고 있기에 아무것도 보이지 않지만, 느낄 수 있다. 은경과는 약간 떨어져있는 공간에서 사람의 움직임이 느껴진다. 소리도 들리지 않으니 상식적으로는 느낄 수 없어야하건만, 기이하게도 은경은 움직임을 느낄 수 있었다. 유령의 그것처럼 보이지 않으나 동작은 느껴진다. 몸집이 아주 작은 사람 한 명이, 은경의 주위를 돌아다니고 있었다.

은경은 용기를 내어, 감고 있던 눈을 아주 살짝 떠보았다.

발이 보였다.

## 수사 - 첫 번째

첫 번째 시신은 강 위에 떠 있는 상태로 발견됐다.

아침 7시, 강 근처를 운동하던 부자가 시신을 처음 발견했다. 강가에 만들어진 산책로 너머로 강물에 사람이 떠 있는 것이 보여서 다가가 보았더니, 엎드린 채 물에 떠있는 시신이었다. 아들 쪽이 곧바로 들고 있던 스마트폰으로 경찰에 신고했다.

지구대 경관들과 관할 경찰서 형사들이 현장으로 출동했다. 죽은 이는 30대 초반으로 보이는 남성이었다.

시신을 끌어올리고 보니, 무언가 기묘했다. 늦가을의 서늘한 날씨인데, 남성의 옷차림은 마치 집에서 잠을 자다가 나온 것처럼 늘어진 반팔티셔츠 한 장에 트레이닝복 바지만 입은 채였고, 결정적으로 양말도 신발도 신고 있지 않았다.

물속에 빠지면서 신발이 벗겨진 것이 아닌가 생각됐으나, 양말도 벗겨졌을 리는 없고, 거기에다 발바닥은 틀림없이 맨발로 길을 걸어왔기 때문에 생긴 생채기들이 나 있었기에 형사들이 기묘하게 생각했다.

가장 이상한 것은 눈이었다. 물론 죽은 사람이기 때문에 그렇기도 하겠지만 얼굴색은 새파랗게 질렸고, 남성의 커다랗게 떠진 눈에는 무언가 몹시 무서운 것을 봤을 때처럼, 동공이 보름달 마냥 확장되어 엄청난 공포에 질렸다는 것을 한 눈에 알 수 있었다.

시신을 국과수로 인계하고, 형사들은 경찰서로 일단 돌아왔다. 시신의 신원을 알 수 없었기 때문에, 사망자가 찍혀있을 가능성이 높은 발견 현장 근방의 CCTV부터 조사하기로 했다.

조사를 시작한 지 얼마 안 돼, 시신의 생전 모습이 담긴 CCTV를 바로 찾을 수 있었다.

발견 전 날 밤 10시 경, 강변 근방 0.5킬로 쯤 떨어진 곳의 단독주택이 밀집한 동네에 위치한, 어느 집 대문 안에서 달려 나오는 생전의 피해자의 모습이 발견되었다. 그 곳 근처의 다른 여러 대의 CCTV에도 피해자의 모습이 찍혀있었다. 피해자의 모습은 시체로 발견된 산책로 부근 CCTV에 찍힌 모습이 마지막이었다. 그 이후의 모습은 더 이상 CCTV가 설치되어있지 않은 곳으로 피해자가 뛰어 들어갔기 때문에, 물에 빠지던 때 전후의 모습은 찍히지 않은 것 같았다.

그런데 이 마지막 영상들이 너무 기이해, 모여서 지켜보던 형사들 모두 오싹한 느낌을 받았다.

## 2장. 어둠 - 두 번째

그 남자가 계단을 내려와 이쪽으로 걸어오고 있다.

남자는 특유의 잰 걸음걸이로 순식간에 이쪽으로 다가온다. 이 남자에게는 이 공간이 그리 넓지 않은 것이다. 서두르는 걸음걸이에서 다급함과 누르지 못하는 욕구가 느껴진다. 그 남자의 덩치는, 여섯 살 아이에게는 누구나 그렇게 보이겠지만, 압도적으로 크다.

그 육중한 몸집이 공포감을 준다. 그리고 그 남자가 내면 속에서 뿜어내는 부정한 감정이 느껴져, 뱃속 깊은 곳에서 공포감이 차올라온다. 태어나기 전부터 신체 속에 입력된, '나를 해칠 수도 있는 것'에 대한 본능적인 공포가 온 몸을 지배한다. 몸이 그야말로 사시나무처럼 부들부들 떨린다.

처음에는 달아나보려고 했다. 당연히 도망치려고 했었다. 그러나 사방이 막혀있는 지하실 안에서 도망치는 것은 불가능하다. 게다가 여섯 살짜리 아이가 도망쳐봐야 얼마나 빨리, 그리고 멀리 도망칠 수 있겠는가. 거기에 무엇보다 정신이 공포에 사로잡혀있다. 다리가 풀려 힘이 들어가지 않는다. 두려움이 몸을 얼어붙게 만든 것이다. 공포에 굴복한 채, 금세 그 남자의 억세고 큰 손아귀에 붙들린다.

울음을 터뜨렸다. 10살 전후의 아이들에게 울음은 의사표현인 동시에 도움의 요청이다. 무섭다는 표현, 이 사람에게서 나를 보호해달라는 요청.

그러나 울음은 금방 수그러들고 만다. 남자가 발길질을 하기 때문이다. 처음에는 얼굴에, 두 번째에는 팔에, 바닥에 쓰러진 후에는 배에, 얻어맞으면서 어찌어찌 입고 있던 원피스의 앞부분이 찢어졌다. 팔을 들어 올려 발길질을 막는데, 이번에는 그 남자의 발이 손을 짓밟는다. 거기에 더욱 운 나쁘게도, 그 발에 신겨진 신발 밑창에 뭔가 작고 날카로운 유리조각 같은 것이 박혀있었던 것이다. 짓밟힌 손등이 종잇장처럼 찢어지고 피를 뿜었다. 몸서리처지는 아픔에 절로 비명이 터진다. 그 후에도 몇 번이나 발길질이 날아온다. 남자의 뜻은, 울지 말라는 것이다. 울음을 그치지 않으면 가차 없이 혼날 것이라는 것이다. 시끄러우니까, 그리고 큰 소리를 내어서 바깥에 있는 다른 사람이 들으면 안되니까. 자신이 지금 하고 있는 무시무시한 행동을 들키면 안 되니까. 말 한 마디 없어도 알 수 있다. 울음과 발길질의 대화. 더이상 얻어맞지 않으려면 울음을 삼켜야 한다. 공포에 떨리지만 물리적인 힘 앞에 울음은 삼켜진다. 온 몸을 최대한 구부리고 팔로 머리를 감싸고 울음을 억지로 삼킨다. 윽 하는 신음소리와 함께...

그 후에 시작된다.

이 남자의 호흡이 거칠다. 어둠침침한 가운데 눈빛도 보인다. 뭔가 번들거리고 광기에 어린, 초점이 없고 탁한 기운을 가진 형용할 수 없는 희번덕거리는 불쾌한 눈빛이 온 몸을 훑는다. 그리고 손이 다가온다.

이 남자의 손은, 언젠가 동화책에서 본 대왕오징어의 촉수 같은 느낌을 준다. 정말로 그런 동물과 마주치고 그 촉수가 여자아이의 몸을 조여 온다면, 이렇게 질척거리는 느낌이 아닐까.

그의 손길은 참으로 집요하고 역겹고 불쾌하고, 지나간 후에는 욱신욱신 둔중한 통증이 남는다. 하지만, 벗어날 방도는 없다. 너무나도 울고 싶지만, 그럼 또 발길질이 날아올 것이다.

이윽고 그 남자의 손이 하반신 쪽으로 내려온다.

한참 나중에야, 이때에 벌어진 일을 어떻게 부르는지 알게 되었다

아동 성폭행.

## 소녀 - 두 번째

성인의 것에 비해 아주 작은 발, 먼지와 검댕이 잔뜩 묻어있고 때가 탄 더러운 발이다.

상처자국이 있는 무릎 위로 입은 옷의 끝자락이 보인다. 만화 캐릭터가 그려진 여자아이용 여름 원피스. 원피스에 그려진 것은 미국 만화 캐릭터 트위티. 그리고, 트위티의 눈 부분 천이 찢겨져나간 것이 보인다.

여섯 살 쯤으로 보이는 아이의 발이다.

도무지 영문을 알 수 없고, 무엇보다 너무 무서워, 은경은 더 이상 볼 수가 없었다. 다시 눈을 감았다. 아까부터 계속 되는 귀를 찢어발기는 것 같은 이 소음에서도 벗어나고 싶었다. 그러나 모든 꿈이 그렇듯이, 은경의 꿈이지만 그녀 마음대로 되지 않는 것

이다.

그러다가 문득, 은경은 소음이 약간 잦아들었다는 생각이 들었다.

어찌 된 일일까? 은경은 감은 눈을 조심스레 다시 떴다.

여자아이는 그대로 있었다.

은경은 고개를 살짝 들었다.

여자아이의 얼굴이,

입이 보인다.

그 입술이 살짝 열려서, 무언가 말을 한다.

들리지 않는다.

하지만,

신기하게도 은경은 여자아이가 무슨 말을 하는 지 알 수 있었다.

여자아이가 하는 말은,

자.일.어.나.

술.래.잡.기.하.자.

그리고 여자아이는 뒤돌아 뛰기 시작했다.

술래잡기.

그래 이것은 술래잡기다.

다만, '공포의 술래잡기'다.

술래는 여자아이,

그리고 여자아이 앞에서 달아나고 있는 남자어른 한 명.

이 술래잡기는 술래에게 잡히면,

살.해.된.다.

단독주택들이 모여 있는, 어두컴컴하고 구불구불한 골목길이다.

그런 사이로 한 성인 남자가 뛰고 있다.

지금 피부에 느껴지는 기온은 낮다. 그러나 이렇게 서늘한 날씨
에 그는 맨발이고, 거기다 반팔티에 얇은 트레이닝 바지만 입고
이 골목길에서 죽도록 뛰고 있다.

여자아이가 그의 뒤를 쫓는다. 어떻게 이렇게 빠를 수가 있을까.
조그만 어린아이가 도망치는 남자어른을 예사롭게 따라잡는다.

남자어른은 혼이 나간 상태다. 공포에 질려 이성은 사라지고 오직 살아야한다는 본능만이 그에게 남아있을 뿐이다. 맹수에게 쫓기듯이 그는 사력을 다해 달아난다. 그런 남자의 뒤를 여자아이가 뒤쫓아 달린다. 골목을 이리 돌고 저리 돌고, 어느 틈엔가 주택가가 사라지고, 강이 보이는 곳까지 달려왔다. 그러나 술래잡기는 멈추지 않는다. 남자는 이젠 강가의 포장되지 않은 흙더미 위를 내달린다. 땅바닥의 작은 돌멩이들 때문에 발바닥에 생채기가 생겼다. 그러나 그런 건 지금 신경 쓸 여력이 없다. 남자는 안간힘을 다 해 달아날 뿐이다.

얼마나 달렸을까. 남자는 급작스럽게 발을 멈췄다. 절벽이 나타났기 때문이다. 20미터는 넘을 것 같은 까마득한 절벽. 아래에는 한 밤의 어둠 속에서 한 마리 시커먼 뱀처럼 꿈틀거리는 강물이 세차게 흐른다.

남자는 멈춰 서서, 뒤를 돌아보았다. 얼굴은 사색이 되어있고 눈은 두려움에 눈동자가 커져있다.

여자아이는 그런 남자의 앞에 서있었다. 그리고 씨익 웃었다. 여자아이의 얼굴이 보이지 않지만, 은경은 알 수 있었다. 여자아이는 살기 띤 눈으로 웃고 있다.

여자아이는 남자에게 천천히 다가갔다. 남자는 이제 완전히 공포에 사로잡혀, 더 이상 옴짝달싹 하지 못하고 있다.

그런 그 남자의 바로 코 앞까지 다가가, 여자아이는 남자를 절벽 아래로 떠밀었다.

한 순간에 벌어진 일이었다. 남자는 순간이동이라도 하듯이, 절벽 아래로 삽시간에 사라졌다.

소름 끼치는 비명이 사방에 퍼졌다.

바로 그 순간, 은경은 소스라치며 잠자리에서 깨어났다.

은경은 자신의 방 이불 속에서 일어났다.

헉헉대면서, 가쁜 숨을 몰아쉬었다. 자다가 흘린 것인지, 이불에 땀이 흥건했다.

꿈을 꾼 것뿐인데, 어찌나 무서운지 온 몸이 잠에서 깬 지금도 부들부들 떨렸다. 거친 호흡에 진땀이 계속 흘렀다. 극도로 긴장할 때면 항상 그렇듯이, 아랫배와 오른손이 욱신욱신 아팠다.

또렷하게 기억하고 있었다. 꿈 속에서 본 여자아이의 눈 빛. 그런 어린아아의 눈이 그토록 무시무시한 살기를 띨 수 있다는 것을 은경은 처음 알았다.

간신히 마음을 진정한 은경은 방 안을 둘러보았다. 불이 환하게 켜진 방. 스마트폰을 보니 새벽 4시였다.

마음을 가다듬던 은경의 눈에, 문득 이상한 것이 보였다.

은경은 매일 빼먹지 않고 방을 청소한다. 어제 저녁에도 틀림없이 방바닥을 닦고 이불을 깔았다. 그런데,

방바닥에 흙발자국이 잔뜩 나 있었다.

축축한 진흙 같은 것이 발모양을 이루며 방안에 가득 나 있었다.

은경은 소스라치게 놀랐다. 그리고 발자국을 들여다보고, 더욱 놀랐다.

발자국이 조그만 어린아이의 것이었기 때문이었다.

## 수사 - 두 번째

CCTV 속에 찍힌 피해자는 발견된 당시 그대로의 옷차림이었다.

어제 오후 10시, 어두운 밤이었다. 다니는 사람도 없는 골목길 어느 집 대문에서 생전의 피해자가 맨발로 뛰어나오는 장면이 찍혀있었다.

마치 굶주린 호랑이에게 쫓기는 듯한 모습이었다. 아마도 방 안에 있다가 무언가에 놀라 뛰어나온 것이 분명했다. 옷을 걸치고 신발을 신을 사이도 없을 만큼 다급한 상황에 처해 뛰어나온 것이다.

무엇에 그리 놀란 것일까. 물론 이 동네에 호랑이가 있을 리는 없겠고, 처음에는 아마도 집 안에 침입한 강도 혹은 괴한에게 쫓기는 것이라고 영상을 지켜보던 형사들은 생각했다.

그런데 계속 영상을 지켜보니, 강도처럼 보이는 인물은 찍혀있지 않았다. 다만, 피해자가 뛰쳐나간 잠시 뒤, 그를 따라 대문 밖으로 조그만 형체 하나가 달려 나가는 모습이 찍혀있었다.

아주 작은 형체, 그러니까 다섯에서 여섯 살 쯤으로 보이는 여름용 홑옷을 걸친 여자 어린아이로 보이는 형체였다. 그리고 아이 역시 맨발인 것 같았다.

피해자는 영상 속에서 내내 연신 뒤를 돌아보면서 죽을힘을 다해 달리고 있었다. 공포에 질렸다는 것은 다급한 발걸음만 봐도 알 수 있었다. 그 뒤를 히끄무레한 작은 그림자가 쫓고 있는 것이 근방의 CCTV에 모두 담겨있었다. 피해자는 20여 분 가량을 그 작은 형체에 쫓겨 맹렬하게 이리저리 골목을 달렸다. 왼쪽으로 오른쪽으로 앞으로 뒤로 골목을 돌고 돌고 또 돌고... 그 뒤를 예의 그 작은 그림자가 바싹 쫓고 있는 괴상한 상황이었다. 그러다가 피해자는 마지막으로 찍힌 영상 속에서 주택단지 근방에 있는 강 근처의 포장되지 않은 땅으로 뛰어 들어갔다. 그러자 작은 형체도 그곳으로 따라 뛰어 들어갔다. 영상은 그것이 마지막이었다.

그 후에 무슨 일인가 일어나, 피해자는 강에 빠져 사망한 것이다.

영상이 잘못 찍힌 것이 아니라면, 그러니까 한밤 중, 성인남자인 피해자는 맨발인 채로 5, 6세의 어린아이에게 쫓겨 길을 내달리다가 익사한 것이다.

상식적으로 이해할 수 없는, 기이한 일이었다. 영상을 지켜보던 형사들이 모두 묘한 느낌에 사로잡혀있을 때, 신참형사가 영상 속의 이상한 점 하나를 지적했다.

어린아이의 형체에 그림자가 없다는 것이었다.

그 말을 듣고 형사들이 다시 영상을 되돌려보자, 과연 어린이의 형체에는 당연히 있어야할 그림자가 찍혀있지 않았다. 어린이의 형체가 나오는 부분을 반복하여 보았으나, 그림자는 어느 커트에도 찍혀있지 않았다.

물론 카메라에 영상이 찍힐 때 여러 가지 변수가 작용하여, 마치 공포영화의 한 장면 같은 불가사의한 영상이 찍히는 경우는 아주 많다.

이것도 그런 경우일 것이다... 모여 있던 형사 중 한 명이 그렇게 말했다. 그러나 그 말을 한 형사 자신을 비롯하여, 모여 있던 사람들 모두 등골이 오싹한 것은 부정하지 못했다. 마치 괴담TV 방송의 한 장면을 찍고 있는 것 같은 기분이었다.

형사들은 목격자를 찾는 한 편, 피해자의 신원을 조사하기로 했다.

CCTV 속에 찍힌 피해자의 집을 찾는 것은 어렵지 않았다.

피해자는 이 근방에 사는 최경재로 밝혀졌다.

33세의 미혼으로, 혼자 살고 있었다. 조사했더니 최경재가 데리고 함께 사는 어린이, 혹은 보호 중이거나 집에 잠깐 맡겨져 있거나 하는 아이는 전혀 없었다. 즉, CCTV에 찍힌 아이의 신원은 현재로썬 전혀 알 수가 없었다.

## 3장. 어둠 - 세 번째

방바닥이 국과 음식물로 흥건하다.

아빠가 식사가 차려진 밥상을 뒤집어엎은 것이다. 삽시간에 방안이 아수라장이 되고, 나는 소리 높여 비명을 지른다. 아빠의 분노에 찬 남성 특유의 박력어린 포효소리는 뱃속을 얼얼하게 울리고, 좁은 방안을 공포감으로 가득 채운다.

엄마는 방 밖으로 뛰쳐나갔다. 아빠가 너무 두려운 나는, 본능적으로 엄마에게 달려간다. 그러다가 방바닥에 쏟아진 국물을 밟고 미끄러진다. 방바닥에 쓰러지면서 입은 옷과 온 몸이 지저분한 음식물 투성이가 된다. 방안으로 다시 들어온 엄마가 그런 나를 데려다가 마당에서 씻긴다. 씻기면서 뭐라고 아빠를 욕한다. 뭐 저런 사람하고 결혼을 한 걸까. 대략 이런 얘기인 것 같다.

또 떠오르는 장면은 엄마가 방바닥에 쓰러져있는 모습이다. 엄마는 두 팔로 얼굴을 가렸고, 코에서 코피를 흘리고 있다. 아빠가 엄마를 때린 것이다. 엄마의 머리카락에는 밥알이 잔뜩 붙어있다. 잘 기억나지 않지만, 아빠가 밥그릇을 엄마에게 내던진 것 같다.

아빠는 가정폭력범이다.

떠오르는 기억들은 대게 이런 종류의 것들이다. 아빠와 엄마가 다투고, 아빠가 엄마를 폭행하고, 그럼 엄마는 어디론가 나가버리거나, 천장 바로 밑에 붙어있는 다락방에서 내려오지 않거나, 아빠의 멱살을 잡고 뭔가 실랑이를 한다. 참으로 불행하게도, 이

것이 나에게 있어 떠오르는 인생의 첫 기억이다.

이보다 앞선 일인지, 뒤에 벌어진 일인지는 기억나지 않지만, 친척들이 잔뜩 몰려왔다. 내 기억에는 고모들이었던 것 같다. 아빠와 다투고 한 동안 집을 나가있었던 엄마가 돌아왔다. 그런 엄마를 둘러싸고 그녀의 시누이들이 그녀를 마구 나무라고 몰아세운다. 듣고 있던 엄마는 화가 나 가까이에 있던 그릇을 집어던져 깨뜨린다.

엄마는 이제 식사를 만들어주지 않는다. 요리라고는 할 줄 모르는 아빠가 밥 대신에 딸기우유라든가 빵, 제대로 익히지 못한 라면 같은 것을 먹으라고 준다. 온전한 식사를 하지 못한 지 꽤 된 듯하다. 하지만 이런 거라도 먹을 수 있어서 다행인걸까. 그나마 굶는 것은 아니니까. 엄마는 일전부터 안방이 아닌 다락방에서 생활하고 있다. 아빠와 함께 방을 쓰기 싫은 것이다. 그러다가 며칠이 지난 어느 날, 엄마는 다락방에서 내려왔다. 다락방 문이 열리고 엄마가 안방에 들어선다. 난 오랜만에 보는 엄마가 반가웠다. 얼른 달려가서 품에 안기고 싶었다. 그래서 그녀를 바라보고 나와 엄마의 눈이 서로 마주치는데...

차가운 눈동자.

엄마는 나를 사랑하지 않는 것이다. 말 한 마디 없어도 그 눈이 모든 것을 설명해주었다. 폭력을 행사하고 가난에 시달리게 하는 아빠에 대한 증오가, 나에 대한 미움으로 번진 것이다. 미워하는 남자의 딸을 사랑할 수 없는 것이다. 고작 여섯 살이었지만, 본능이 잔혹한 진실을 깨닫게 해주었다.

엄마는 나를 증오한다.

그런 지 얼마 후에, 엄마는 영영 내 눈 앞에서 사라졌다.

엄마가 없어진 후, 아빠는 계속 술에 취해있었다. 그리고 끊임없이 담배를 피워댄다. 햇빛도 들지 않는 좁은 방안은 매캐한 담배 연기와 술 냄새로 가득하다. 술이 잔뜩 들어가 완전히 취해버리면, 아빠는 더욱 난폭해졌다. 잡히는 대로 물건을 부수고 소리를 질러댄다. 방바닥은 부서진 파편 투성이고 난 너무 무서워서 아빠 근처에도 갈 수가 없다. 그저 방 구석에 숨어 울고만 있을 뿐이다.

그러던 어느 날, 아빠도 사라졌다.

어느 날 눈을 떠보니, 저녁이 되었고 해가 들어오지 않는 어두컴컴한 방 안에, 어떤 보호자도 없이 여섯 살 내가 있었다. 방안은 어두컴컴하고 어린아이에게 반드시 필요한 보호자는 아무도 없었다. 순간 본능적으로 공포를 느낀 나는 큰 소리로 울음을 터뜨렸다. 도와주세요하는 의미로.

그러나 아무도 달려 와주지 않았다.

어린 시절의 기억이 으레 그렇듯이, 대부분의 것은 모호하지만 그래도 비교적 뚜렷하게 내가 떠올릴 수 있는 몇 몇 풍경이 있다. 이를테면 살던 집의 구조 같은 것이다.

우선 왕복2차선 자동차도로가 있다. 버스 정류장이며 슈퍼마켓이며 약국이며, 사람들이 자주 드나드는 번화가가 있었고 그곳에서 넓은 오르막길을 올라와 내 걸음으로도 겨우 2분 정도면 네 갈래 길의 골목이 나왔다. 그 갈래 길에서 왼쪽으로 돌면 바로 그 자리에 우리 집이 있었다. 그런 골목의 특성 상, 당연히 왕래하는 사람들이 많은 곳이었다.

일단 집을 마주보고 서면, 아주 낡은 철제 대문이 있었다. 곳곳에 녹이 슬고 겉면에 발라놓은 촌스러운 초록빛의 페인트가 군데군데 벗겨져 흉물스럽고 대문의 역할을 하지 못 하는 그런 문이었다. 그 안쪽에 마당이라고 해야 할지 하수도로 연결되는 기울어진 시멘트 발려진 통로라고 해야 할지 모를 좁은 공간이 있었다. 그 공간을 마주보고 왼쪽에 집주인 가족이 사는 방 두 칸짜리 집과 별채로 우리 집이 있었다.

우리 식구가 세 든 집은 나무로 된 여닫이문이 재래식 부엌과 바로 연결되고, 그 너머에 안방이 있고, 창고와 다락방이 딸린 참으로 낡고 초라한 집이었다. 나의 사이 나쁜 부모님은 가난하기까지 했던 것이다.

하나 더 떠오르는 것은, 대문이나 부엌문이 늘 잠겨있지 않았다는 것이다. 해가 떨어지면 대문에 잠금쇠를 걸었지만, 두 가정의 식구가 수시로 드나드는 집이라 낮에는 대문이 늘 열려있었다. 거기에 앞서 얘기했듯이 낡은 문이었고, 담도 낮아 마음만 먹으면 담을 넘는 것도 어려울 것이 없는 그런 집이었다. 부엌문은 아예 잠금장치가 없었고, 낡아빠진 나무로 된 문인지라 부수는 것도 애먹을 일이 없었다.

그런 곳에 부모가 모두 자취를 감추고 여섯 살짜리 내가 남았고, 그 남자가 들어온 것이다.

## 소녀 - 세 번째

은경은 병원에서 어떻게 시간이 가는지도 몰랐다.

나흘 전에 있었던 악몽은, 아마도 피곤해서 몽유병 비슷한 증상이 나타난 것이라고 은경은 생각하기로 했다. 자신도 모르는 사이에 잠 든 상태로 맨발인 채 잠시 밖을 나갔다 들어왔겠지. 방바닥에 찍혀있던 발자국 크기가 조그만 것도 뭔가 잘못 본 것이리라. 은경은 그렇게 결론을 내렸다. 발자국을 닦아낸 것처럼 기억도 깨끗이 잊어버리기로 했다.

오늘은 야근이다. 병원에서 밤을 보내야 한다.

간호사는 참 바쁜 직업이다. 병원이란 하나 같이 아픈 사람들이 모여드는 곳이 아닌가. 환자들은 끊임없이 간호사를 찾는다. 쉴 틈도 없이 업무에 집중하면서 은경은 그나마 두려운 악몽에 대한 기억을 접을 수 있었다.

이윽고 밤 11시였다.

은경은 불이 꺼지고 환자도 보호자도 다들 잠 든 병동 5층 입원실 전체를 손전등을 들고 한 번 돌아보았다. 별 이상은 없었고, 다들 평온하게 잠들어있었다.

그 뒤 은경은 간호사 휴게실로 통하는 복도로 나갔다. 아무도 없었다.

복도에는 전등이 환하게 켜져 있었다. 지금은 다급한 업무는 없다. 은경은 느긋하게 휴게실로 가고 있었다.

그 때 복도의 전등이 깜빡거리기 시작했다.

은경은 그 자리에 멈춰 섰다.

주위에는 아무도 없었다.

은경은 왠지 움직일 수가 없었다. 겁을 먹으면 일단 다리가 정지해버린다. 힘이 들어가질 않는다.

그러면서도 스스로가 이상했다. 왜 이러지? 그냥 전등이 깜빡거리는 것뿐인데...

하지만 별 거 아니라고 생각하는 이성과는 상관없이, 은경은 순식간에 공포에 사로잡혔다. 왠지 모르게 이상한 느낌이 들었다. 오한이 든다. 복도에 멈춰선 그녀는 꺼졌다 켜졌다를 반복하는 전등 아래에서 온몸이 굳은 채 서 있었다.

그렇게 잠시 시간이 흐른 후...

전등이 꺼졌다.

깜빡거리던 전등을 비롯해서, 은경이 서 있는 복도 전체의 전등이 동시에 꺼져버렸다. 복도는 순식간에 암흑천지가 되었다.

이렇게 한꺼번에 여러 개의 전등이 나갈 수가 있는 걸까?

이상하다... 그러나 한 편으로 은경은 내장이 쪼그라드는 듯이 거대한 공포에 사로잡혔다.

움직일 수가 없다. 아무런 생각도 할 수가 없고, 못 박힌 듯 그 자리에 서있을 뿐이었다. 뇌가 제대로 작동주지 않았다. 그저 무서워서 떨고만 있었다. 그 때였다.

은경은 기척을 느꼈다.

누군가 있다.

조그만 사람이...

여자아이가 등 뒤에 서 있다.

## 수사 - 세 번째

두 번째 시신이 발견된 것은 나흘 후였다.

피해자는 66세의 여성으로, 발견 당시 자동차에 타고 있었고, 그 자동차는 서울 시내 한강 물속에 깊숙이 가라앉아 있었다. 아침 순찰을 하던 경관들이 물에 잠긴 차체를 발견했다.

차를 인양하고 보니 차종은 코란도투리스모로, 아주 낡은 차였다.

이번 피해자 역시 슬리퍼를 신고 얇은 실내복을 걸친 상태였다.

물에 젖은 작은 노인의 몸은 잔뜩 웅크린 상태였고, 두 눈은 공포에 질려 동공이 확장되어있었다. 별다른 외상은 없었다.

피해자는 오미영, 뚝섬 근방의 작은 월세방에서 혼자 살던 노인이었다. 남편은 21년 전에 사망, 두 아들과 딸 한 명이 있었지만 가족관계는 꽤 오래 전에 파탄난 듯 했다. 최근에 자식들과 아무런 왕래가 없었다는 걸 이웃 증언을 통해 알 수 있었다.

수사진은 처음에는 단순사고라고 생각했다. 나이가 많아 앞을 잘 못 보는 피해자가 자동차를 몰다가 잘못 운전하여 강에 빠진 것이라고 보았다.

그런데 이상한 점이 드러났다. 이 차는 한강 근방의 외진 곳에 대략 한 달 정도 전부터 버려져있던 차였다. 주변을 조사하고 근처를 오가던 사람들과 순찰경관들의 증언을 통해 알게 된 것이었다. 무슨 문제가 있어 차가 버려져 오랜 시간 방치되었고, 그래서 이미 내부가 녹슬어 움직일 수 없는 상태였다.

거기에 또 하나 이상한 점이 있었다. 피해자는 운전을 전혀 할 줄 모르는 사람이었다.

면허도 없었고, 이웃들은 입을 모아 피해자는 운전을 할 수 없다고 증언했다. 외출할 때면 항상 버스나 택시를 이용했고, 핸들이나 기어 같은 단어를 알지 못했다.

결정적으로, 한글을 읽을 줄 모른다는 것도 드러났다. 세금고지서 같은 것이 날아오면 이웃이 대신 읽어주었다는 것이다.

그럼 왜 차 안에 있었던 것일까.

한 형사가 혹시 피해자가 차 안으로 숨어들어간 것이 아닌가 하는 의견을 내놓았다. 무언가에 쫓겨서 달아나다가 길가에 있던 차를 발견하고 차문이 열려 들어가 숨은 것은 아닌가 하는 얘기였다. 만약 그렇다면, 이 사건은 사고가 아니라 살인사건일 수도 있었다.

어쨌거나 수사는 계속되었고, 수사진은 트렁크 부분에서 손자국을 찾아낼 수 있었다.

## 4장. 어둠 - 네 번째

언제나처럼 집의 철제대문이 열려있었던 것이다, 훤한 대낮이어서, 빗장이 질러져있지 않았던 것이다. 통행인이 많은 넓은 골목에서, 마치 무언가 볼일이 있는 것 인양 행세하며 그 남자가 집 안으로 들어왔던 것이다.

그 남자가 부엌문을 열었다. 요즘은 외진 시골에서나 볼 수 있는 미닫이식의 낡은 나무 문. 부엌문과 시멘트 바닥을 사이에 두고 겨우 두 걸음 앞이 안방이었다. 여자아이는 열려진 안방 문 앞에 쪼그려 앉아있었고, 누군가 들어오자 얼른 눈길을 향했다. 엄마나 아빠가 돌아온 것이 아닌가 했기 때문이었다.

그런데 아니었다. 처음 보는 남자어른이 서 있었다.

20대 초반으로 보이는 젊은 남자였다. 물론 어린 여자아이에게는 어른인 이 남자의 덩치가 굉장히 커보였다. 그 외에는 눈에 띄는 점이 없었다. 여자아이는 낯선 어른 앞에 선 아이들이 당연히 그렇게 하듯이 긴장하며 이 남자를 올려다보았다.

순간 흠칫하고 말았다.

그 남자의 눈빛이 이상했다.

뒤틀린 욕망을 드러내는 더러운 눈.

번들거리는 눈빛은 어딘지 역겹고, 그 한편에는 육식동물이 먹이를 찾아냈을 때 보이는 기쁜 내색이 드러나 있었다.

세상에는 성욕에 미쳐버린 남자들이 넘쳐난다. 그런 남성들은 감각과 이성이 오직 욕구를 뿜어낼 대상을 찾는데 맞춰져있다. 시간만 나면 사방을 돌아다니며 여성을 찾아다닌다. 단란주점에서 서빙하는 여성, 일행 없이 혼자 길을 걷는 여성, 나이트클럽에 오는 여성. 어떤 때는 차를 몰고나가 한 밤의 거리를 배회한다. 여성을 찾아서. 열심히 차를 몰다가 밤길을 홀로 가는 여성을 발견하면 다가가 친절한 태도로 바래다줄 테니 타라고 한다. 물론 사실은 바래다줄 생각은 없다.

항상 이렇게 여성을 찾아다닌다. 여성, 여성, 여성...

그런 한 편 어디선지 정보를 수집한다. 이를테면 기차역 대합실에는 가출한 여중생 여고생들이 모인다. 어느 집에는 여자가 혼자 산다. 또 어떤 동네는 집들이 하나 같이 낡고 부모들이 집을 비우는 시간이 많아 혼자 집에 남아있는 어린애들이 있다. 그런 종류의 정보.

그리고 이런 남성들은 가능하면 세상물정을 잘 모르는 어린 여성, 그리고 약한 여성일수록 좋아한다. 아니, 여성이라 부를 수도 없는, 신체가 아직 온전한 형상도 갖추지 못한 어린아이도 상관없다. 어차피 먹어치워서 파괴해버릴 거니까.

이 날 여자아이네 집에 들어선 남자도 그런 남자들 중 하나였다.

대문은 열려있었고, 손바닥만 한 집이었다. 채 다 둘러보지도 않고, 이 남자는 어린아이, 보호자가 아무도 없이 방치된 여섯 살 여자아이를 발견한 것이다.

어린 아이들은 약하기 때문에, 위험을 감지하는 본능이 유달리 날카롭게 발휘된다. 낯선 인물 앞에서 긴장하고, 그에게서 아이로서 읽어낼 수 있는 한 최대의 정보를 뽑아낸다.

본능은 즉각 결론을 내주었다. 이 남자는 위험하다!

그러나 이 남자는 잠시 주위를 둘러보고 아무도 없다는 것을 알아채자, 대뜸 여자아이를 낚아챘다.

태어난 지 6년 밖에 되지 않아 여자아이에게는 위험상황에 대한 교육이 전혀 되어있지 않았지만, 본능이 시키는 대로 움직였다. 여자아이는 그를 피해 달아나려 했다.

그러나 어른과 아이의 싸움이다. 도와줄 인물도 주위에 아무도 없었다. 여자아이는 당장 그의 손에 붙들렸다. 역시 본능에서 솟구치는 공포감에, 여자아이는 비명에 가까운 울음을 터뜨렸다.

그러자 그의 손바닥이 왼쪽 뺨으로 날아왔다. 글자 그대로 그는 여자아이의 따귀를 날렸다. 엄청난 충격이었다. 눈앞에 별이 한가득 튀어 올랐다. 엄청나게 아프다! 통증이 뺨을 순간 마비시켜버렸고, 정신은 순식간에 이 남자 앞에 무릎을 꿇어버렸다. 이 한 번의 폭력이 여자아이의 본능에 다른 경보를 내렸다.

얌전하게 굴지 않으면 죽.는.다.

여자아이는 완벽하게 공포감에 마비되었다. 울고 싶었으나 매 맞는 것은 무서웠다. 억지로 울음을 삼켰다. 그러자 남자는 별 문제 없이 가볍게 여자아이의 손을 잡고, 마치 자신이 아이의 보호자인양 연기하며 아이를 데리고 주위를 둘러보면서 대문 밖으로 나섰다.

남자는 운이 좋았고, 여자아이는 운이 나빴다.

그가 여자아이를 근방에 있는 폐가의 지하실로 납치하는 동안, 운 나쁘게도 아무도 이 남자를 수상하게 보지 않았다.

**소녀 - 네 번째**

은경은 몸이 굳었다.

완전히 어둠에 잠겨버린 한 밤 중의 병원 복도에서 은경은 혼자 서 있었다.

아니, 혼자일 수밖에 없다. 분명히 이 부근에는 누구 하나 사람이 없다. 그런데...

등 뒤에 여자아이가 서있다.

보지 않아도 알 수 있었다. 오감을 넘어서는 다른 감각이, 복도 전체에 가득 찬 서늘한 기운을 감지한다. 공포의 기운.

그리고 보이지 않는데, 볼 수가 없는데...

여자아이가 웃고 있다는 걸 느꼈다. 그것도 소름 끼치게.

손에 회중전등을 들고 있었건만, 켤 수가 없다. 전등을 쥔 손에 전혀 힘이 들어가지 않는다.

잠시 후, 공포에 지친 은경은 주저앉듯이 하며 눈을 감았다.

분명히 눈을 감았다.

그런데...

보였다.

여자아이의 입술이 움직여 말을 한다.

분명히 소리는 안 들리는데, 의미를 알 수가 있다.

오.늘.은.숨.바.꼭.질.이.야.

여자아이는 숨바꼭질을 하고 있었다.

이곳은 한 밤의 강가다. 시커먼 하늘 아래, 물소리와 비린내가 난다.

강가의 우거진 나무들을 보니 어딘지 풍경이 낯익은 듯도 하다.

여자아이는 즐거이 강가를 달려갔다. 잠시 달리다가 멈춰 섰는데, 앞쪽에 낡은 자동차가 보였다.

사람 하나가 자동차 안에 숨어있었다.

얼굴에 주름이 가득한 할머니. 그 할머니가 자동차 안에 들어가 몸을 웅크리고 떨고 있었다.

여자아이가 자동차에 다가선다.

은경은 그 때 문득 고개를 들어 올린 노인의 눈동자를 보았다.

간호사인 은경은 이런 눈을 여러 차례 본 적이 있다. 죽음을 앞두고 공포에 지배된 눈.

노인은 죽음의 공포 앞에 맹렬히 달아나다가 더 도망갈 수 없게 되자 길가에 놓인 차 안으로 숨어든 것이다.

여자아이가 자동차 뒤편에 바짝 붙어 섰다. 그 때, 할머니의 눈이 여자아이와 마주쳤다.

할머니는 눈으로 호소했다.

제발

살려줘.

하지만 소용없었다.

여자아이는 차를 밀기 시작했다.

이상하게도, 조그만 여자아이가 차를 미는 것인데 차는 조금씩 움직이기 시작했다.

차 아래쪽에서 뭔가 미끈거리는 액체가 떨어진다. 여자아이는 그 액체를 밟았지만, 아랑곳하지 않고

웃으며 계속 차를 밀었다. 자동차가 위치한 길 바로 옆에서 흐르고 있는 강 쪽으로.

그러다가...

자동차는 떨어져 내렸다. 깊은 강물 속으로 곧장.

여자아이는 자동차가 도로 아래로 곤두박질치는 것을

까르르 웃으며 내려다보았다.

소름 끼치는 웃음소리.

그 때,

복도에 불이 다시 들어왔다.

은경은 정신을 차렸다.

전구가 환하게 빛을 밝히고 있는, 병원 복도에 은경은 서 있었다.

은경은 잠시 넋을 놓았다가, 이내 정신을 가다듬었다. 뭐야, 꿈

이었구나.

이성이 돌아온 은경은 지나치게 겁먹은 자신이 조금 우스웠다. 하하. 맥 빠져라. 아마 야근이라서, 자신도 모르게 선 채로 깜빡 졸았던 모양이다.

하긴 사회생활 초년생이라 별 것 아닌 것에 지나치게 긴장하는 모양이군. 은경은 약간 자괴감을 느꼈다. 하지만 별일 아니라 안심이 되었다. 긴장을 푼 그녀는 옷차림을 추스르고 다시 걸음을 옮겼다. 그런데 발이 뭔가에 걸려 미끌했다.

은경은 바닥을 내려다보았다.

복도에는 기름 자국이 흥건했다.

## 수사 - 네 번째

두 번째 피해자가 타고 있던 차량의 트렁크 부분에서 손자국이 발견되었다.

물론 조사에 들어갔다. 그러나 손자국을 본 형사들 모두 괴이함을 느꼈다.

누구라도 그랬을 것이다. 손자국의 크기가 어른의 것보다 훨씬 작다는 것을 보는 순간 알 수 있었으니까.

아무튼 조사는 계속 됐고, 이후 감식반에서 손자국이 너무 희미하여 개체를 특정할 수 없다는 보고가 왔다.

계속 수사하던 형사들은, 따로 살고 있던 피해자 오미영의 둘째 아들 최경재가 얼마 전 물에 빠져 사망했으며, 그 사고에 이상한 점이 있어 현재 해당 경찰서에서 수사 중이라는 걸 알게 됐다.

수사진에게 슬슬 나쁜 예감이 들기 시작했다. 혹시 이 가족에 원한을 품은 연쇄살인인가.

그런 뒤 이틀 후, 세 번째 피해자가 발견됐다.

이름은 최수정, 오미영의 딸이자 최경재의 동생이었다.

이번에는 틀림없는 살인사건이었다.

## 5장. 어둠 - 다섯 번째

문명이 벽을 만들었다.

인간이 불을 다루는 법을 알고 문명을 일으키면서, 벽은 생겨나기 시작했다. 벽이 인간에게 도움이 되기 때문이다. 집을 만들어 가혹한 자연의 손길에서 인간을 보호하고, 문명이 더욱 발달하면서 집안에도 다시 벽을 만들어 사적인 공간이 생겨나게끔 했다. 그리고 집 밖에도 다시 벽을 세워 사유재산의 경계를 세우기도 했다.

그렇게 인간의 편의를 위해 만들어진 벽이, 때로는 무서운 범죄의 은폐물이 되어주기도 한다는 것은 이상한 모순이었다.

버려진 집의 지하실에서는 매일 무시무시한 일이 벌어지고 있었지만, 범인과 피해자 말고는 누구 하나 이 끔찍한 일을 알 수가 없었다. 두꺼운 벽이 가려주고 있었기에.

이 남자는 사회가 절대로 용인해주지 않는 더러운 욕망을, 사회가 만들어놓은 벽 안에서 마음껏 발산했다. 남자는 몹시 기뻐했고, 약한 자들을 괴롭히는 습관에 물든 사람들이 대부분 그렇듯이, 점점 행동이 악랄해졌다.

이곳에 갇힌 지 며칠이나 지난 걸까. 햇빛이 들어와 약간 밝아졌던 때가 세 번 정도 있었던 것 같은데, 그럼 사흘 정도 지난 걸까. 그러나 어차피 어린아이의 감각으로는 시간을 정확히 재는 것은 불가능하다. 정신도 혼미한 상태였고, 무엇보다 날짜를 세어본들 마음의 고통만 더해질 뿐이다. 나에게 가해지는 폭행의 시간이 점차 길어진다는 건, 지금 상황에서는 떠올리지 않는 것이 낫다.

시간이 제법 지나자, 나는 요령이 생겼다. 이 무저갱 속에서 그래도 약간 숨을 돌릴 수 있는 방법이 있었다. 일단 이 남자가 다가오면, 달아나거나 울지 않고 입을 다문 채 얌전히만 있으면 일단 손찌검이나 발길질이 날아오지는 않았다. 그리고 폭력이 시작됐다가 끝날 때까지 대략 어느 정도 시간이 걸리는지, 그리고 어느 시점에서 제일 아픈지 알게 되었다. 아프지만 참고 있다가 제일 아픈 때가 오면, 오히려 약간 안도가 찾아왔다. 이제 조금만 있으면 끝나는 거니까.

다 끝난 뒤 남자가 나가고 문에 쇠사슬을 거는 소리가 들린 후에는, 참았던 긴장이 풀리며 눈물이 쏟아졌다. 온 몸에는 욱신거리는 근육통이 느껴졌고, 하복부에서는 아마도 피가 흐르는 듯하다. 그리고 잘은 모르겠지만, 몸 안쪽에서 어느 장기가 찢어진 것 같다.

어느 순간은 뱃속이 찢어지는 듯한 통증이 찾아왔다. 그 때는 배를 부여잡고 데굴데굴 구르며 비명을 지르고 눈물을 쏟았다. 눈물을 흘려서 고통을 토해내는 것 말고는 이 아픔을 견딜 방법이 이 상황에서는 없었다.

그러나 좀 더 시간이 지나자, 눈물도 말랐다. 감정을 토해내는 마음의 장치도 멈춘 것 같았다. 그리고 정신이 혼미해지기 시작했다. 깨어있는 것인지, 잠들어있는 것인지 도무지 알 수 없는 몽환상태가 찾아왔다. 거기에 이젠 몸은 조금도 움직일 수가 없었다.

어느 날, 뱃속이 꿀렁거리기 시작하더니, 결국은 설사를 하고 말았다. 더 참고 있으면 안 된다고 판단한 신체가 저절로 내보낸 것이다. 당연히 엄청난 악취가 났다.

그런 뒤에, 다시 그 남자가 지하실을 찾았다. 그리고 문을 열었는데, 이번에는 들어오지 않고 멈춰 섰다. 왜 그러나 했더니, 나쁜 냄새가 나니까 들어오지 않는 것이었다.

잠시 서 있던 그 남자는, 문을 닫고 이번에는 쇠사슬을 걸지 않고 가버렸다.

그 남자가 가버렸다.

그게 마지막이었다. 남자는 다시 오지 않았다.

지금 생각해보니, 나쁜 냄새에 더불어 꼼짝하지 않고 누워있는 내가 죽었다고 생각한 듯하다.

남자가 계속 오지 않자, 나는 이제 다 끝난 것인가 하여 잠시 기쁜 마음이 들기도 했다. 그러나 그런 얼마 후에, 등골이 서늘해지는 진실을 깨달을 수 있었다.

이곳에 내가 갇혀있다는 것은 그 남자 외에는 아무도 모른다. 그리고 그 남자는 떠났다. 그 얘기는...

즉, 이곳에 갇힌 채로 난 죽게 된다는 것이다.

이 지하실에 내가 갇혀있다는 것을 누구 하나 모르니, 구조도 바랄 수가 없는 것이다.

잔혹한 사실이었다. 물론 죽고 싶지 않았다. 그러나 내 몸은 이미 철저히 망가진 상태였다. 일어날 수가 없었다. 겨우 기어 다니는 것이나 가능했다. 그것도 몇 초 동안만.

목이 말랐다.

배가 고픈 것은 이제 느껴지지도 않았다. 더러운 공기를 들이마시는 것도 익숙해졌다. 하지만 목마름은 참을 수 없었다. 물론 지하실 안에는 수도도 생수병도 아무 것도 없었다.

그러다 고개를 든 나는, 벽에 물기가 약간 맺혀있는 것을 보았다.

물을 마시고 싶다는 간절한 본능이 아주 약간 에너지를 주었다. 젖 먹던 힘까지 짜내어, 벽으로 간신히 기어갔다. 그리고 겨우겨우 고개를 들어 물기를 혀로 핥았다.

물기와 함께 먼지덩어리들이 입 속으로 들어왔다.

먼지에서는 아주 쓴 맛이 난다는 것을 알았다.

### 소녀 - 다섯 번 째

은경은 집에 있었다.

오늘은 쉬는 날이었다. 밖에서는 비가 내리고 있었다. 그래서 낮인데도 어두웠다. 제법 추워서, 은경은 전기히터를 켜놓고 그 앞에 앉아있었다.

그러나 몸의 한기보다 마음이 느끼는 한기가 더 심했다.

요 근래 며칠 동안 꾼 이상한 악몽 때문에, 은경은 겁에 질려있었다. 첫 번째는 그냥 자신에게 몽유증상이 있나했다. 그러나 두 번째 악몽은 뭐였을까?

...아냐, 이번에도 그냥 착각한 거야. 틀림없이.

근무가 힘들어서 잠시 헛것을 본 거겠지.

은경은 그렇게 스스로를 납득시켰다. 그 날, 복도 바닥에 떨어져 있던 기름자국을 닦아내면서 내내 생각했다. 그냥 착각이야, 뭔가 우연이 겹친거야.

그저 꿈일 뿐이야, 틀림없이.

골똘히 생각하던 은경은 문득 피곤해졌다. 긴장이 풀린 몸에 히터의 열기가 노곤함을 더해주었다.

은경은 졸기 시작했다.

눈을 감고, 고개를 주억거리기 시작했다.

은경은 잠들었다.

이상한 일이었다. 분명히 눈을 감고 있는데, 방안의 광경이 보였다. 환하게 불이 켜진 방, 창 밖에서는 아련히 빗소리가 들린다.

그 때,

현관문 틈새로 시커먼 안개가 새어 들어오기 시작했다.

처음에는 조금씩, 그러나 점점 부피를 키우며 불길한 느낌의 안개가 세차게 현관 틈새로 밀려들어왔다.

시커먼 안개가 있을 수 있나, 은경은 혼미한 꿈속에서도 그렇게 생각했다.

그러나 틀림없이, 먹물 같이 검은 안개덩어리가 집 안을 가득 채우고 있었다.

그리고 이번에도, 은경은 몸을 움직일 수가 없었다.

어느 순간, 검은 안개는 은경의 작은 방안을 가득 채웠다. 시야는 시커매졌고, 아무것도 보이지 않게 되었다. 빗소리도 어느 순간 사라졌다.

은경은 무서웠다.

너무 무서웠다. 온몸이 부들부들 떨렸다.

그 때,

바람이 느껴졌다.

실외에서 느낄 수 있는 세찬 바람. 그리고 몹시 춥다.

여긴 어디지?

은경은 무서워서, 아무것도 보고 싶지 않았다. 그러나 보였다. 분명히 눈을 감고 있는데도.

여자아이가 있다.

숲 속이었다. 시커먼 어둠 속에 나무들의 군집이 있다. 깊은 어둠을 품은 하늘에서 세차게 비를 뿌린다. 바람이 불어 음산한 소리를 연주하고 나무들을 흔든다. 무시무시하고, 그런 한 편 기괴한 아름다움이 있는 그런 광경.

그리고 그 중 한 나무에 사람이 매달려있다.

30대 초반 정도로 보이는 젊은 여자다. 다소 길쭉한 얼굴과 치켜 올라간 눈. 그리고 긴 목.

그 목에 밧줄이 감겨있다.

나무에 걸쳐진 밧줄에 매듭이 걸려있고, 그 매듭 안에 여자의 목이 끼어져있다. 딱 목을 매 자살하는 사람의 모습이다.

그러나 여자는 자살하려는 것이 아닌 것 같다.

양 손으로 목에 걸린 밧줄을 붙잡고, 안간힘을 다해 버티고 있다. 온몸에 힘을 주고 있는 힘껏 버틴다. 그러면서 다리를 마구 버둥거린다.

죽음 앞에서 몸부림치는 인간의 전형적인 모습이다.

그 앞에 또 여자아이가 서 있었다.

더러운 원피스와 맨발은 이제 낯익다.

이번에도 웃고 있다. 그리고 입을 열어, 들리지 않는데도 은경은 알아들을 수 있는 말을 한다.

오.늘.은.주.머.니.던.지.기.

여자아이가 손에 든 것을 여자를 향해 던진다.

그것은 여자의 얼굴을 때렸다. 여자의 얼굴에 상처가 난다.

여자아이는 다시 손에 든 것을 던졌다. 이번에는 여자의 눈에 맞았다. 눈에서 피가 흐른다.

여자가 발버둥 치며 비명을 지른다. 그러나 소용없는 일이었다.

이 때 은경은, 여자아이가 던지는 것이 주위 땅바닥에 가득 쌓인 유리 파편들이라는 것을 알았다.

여자아이는 계속 유리조각을 던졌다. 아이가 던지는 것인데, 마치 총탄 같이 파괴력이 있다. 던질 때 마다 어김없이 매달린 여자에게 명중하고, 그 때마다 여자는 비명을 지르고 피를 흘렸다.

아아, 인간의 몸속에는 어쩌면 이렇게 많은 피가 들어있는 것일까.

마치 폭포수처럼 끈적한 액체가 피부 밖으로 뿜어 나온다.

유리조각 던지기와 비명은 한 동안 계속 되었다. 은경은 더는 견딜 수가 없었다. 귀를 막고 싶었지만 소용없다. 그래도 들리니까.

그러다가 어느 순간, 여자아이는 유리조각을 여자의 미간을 향해 던졌다.

칼날처럼 날카로운 유리조각은, 여자의 양 눈썹 사이에 정확히 명중했다.

그것이 여자의 마지막이었다. 미간에 조각이 꽂힌 여자는 잠시 숨을 헐떡이다가, 그대로 축 늘어졌다.

온 몸에서 피를 흘리며, 여자는 죽었다.

눈앞에서 사람 하나가 살해당했다.

그걸 깨달은 순간, 은경은 소리 높여 비명을 질렀다.

도저히 참을 수 없는 비명이었다. 있는 힘껏 소리를 토해낸다.

그렇게 비명을 질러대다가...

그 순간, 은경은 잠에서 깨었다.

자신의 방 안이었다. 바깥에서는 계속 비가 내리고, 어느 새 날이 어두워져 있었다.

잠시 넋을 놓고 있다가, 은경은 정신을 가다듬었다. 아아, 또 악몽인가.

세 번째 악몽이다. 도대체 어떻게 된 걸까. 은경 자신이 의학도지만, 이런 사례는 들어본 적이 없다. 왜 자꾸 이상한 꿈을 꾸는 거지?

정신을 차리려고 애 쓰던 은경의 이마에서 문득 진땀이 배어나와, 은경은 손을 들어 닦으려고 했다.

그 때 보았다.

자신의 손에 피가 잔뜩 묻어있는 것을.

## 수사 - 다섯 번째

세 번째 시신은 시신의 자택 근방 야산 숲 속에서 발견되었다.

참으로 처참한 모습이었다. 마른 체형의 피해여성의 몸이 나무에 걸린 밧줄에 매달려있고, 온 몸에는 찢어진 상처가 가득하며, 상처에서 흘러나온 피가 바닥에 흥건했다.

사방에 유리조각이 흩어져 있었다. 피해자를 나무에 매단 범인이 어디선가 가져온 유리조각으로 피해자를 마구 찌른 것 같았다. 그 중에서 피해자의 미간에 난 상처가 결정타가 되어 피해자의 숨을 끊은 것으로 판단됐다.

피해자의 이름은 최수정, 35세의 미혼여성. 직업은 매춘부였다.

그리고 앞서 사망한 최경재의 여동생이자, 오미영의 막내딸이었다.

이 사건 이후로, 경찰은 일련의 사건들을 이 가족에게 원한을 품은 자의 연쇄살인으로 결론 내렸다. 수사팀이 꾸려졌고, 피해자들에 대한 자세한 조사도 시작됐다.

두 번째 피해자인 오미영은 미망인이었다. 그녀에게는 자식이 세 명 있었고, 큰 아들의 이름은 최준재, 둘째 아들의 이름이 최경재, 그리고 막내딸이 최수정이었다.

이제 이 가족 중 살아있는 사람은 장남인 최준재 뿐이었다. 경찰은 최준재의 소재를 찾기 시작했다.

최준재는 일주일 전부터 병원에 입원 중이었다. 동생인 최경재가 보호자였는데, 그가 사망하면서 최준재는 간병인 없이 지내는 중이었다. 경찰이 전화로 그에게 연락을 해 가족들의 사망소식을 알렸다. 당연히, 최준재는 엄청난 충격을 받았다.

최준재에게 자세한 얘기를 들을 필요가 있었다. 수사팀장은 병원으로 형사를 보냈다. 박동철 형사가 파트너와 함께 최준재가 입원한 병원을 찾아갔다.

## 6장. 어둠 - 여섯 번째

꿈과 현실이 머리 속에서 하나로 녹아들었다.

눈을 뜨면 환각이 보이고, 눈을 감으면 지옥 같이 시커먼 이 지하실이 보였다. 몸은 이제 더 이상 움직일 수가 없고, 간신히 숨만 쉬고 있는 상태였다. 그리고 얼마 지나지 않으면, 숨도 끊어지는 때가 올 것이다.

그 남자가 가면서 이번에는 문에 쇠사슬을 걸지 않은 것 같지만, 소용없는 일이었다. 허기와 갈증과 그리고 잔인한 폭력에 몸과 마음이 마비된 지 한참 되었다. 손가락 하나 움직일 수 없다. 문이 열려있다 해도 이젠 도망칠 수도 없다...

여자아이는 이제 '죽음'을 준비해야 한다는 섬뜩한 진실을 마음 깊은 곳에서 차츰 받아들이기 시작했다. 몸서리쳐지는 종말에 대한 공포. 그런데 기묘했다. 정작 절망 앞에 무릎을 꿇으니, 무서워 덜덜 떨리는 한 편 내면 깊은 곳에서 아주 조금 편안한 심정이 드는 것이 놀라웠다. 어째서일까. 아아, 그렇다, 숨이 끊기는 순간, 이 지옥에서도 벗어날 수 있는 거니까.

그래, 이제 다 끝나는 것이다, 이 고통도, 무서운 지하실에 갇혀 있는 것도.

그 때였다.

멀리서 발소리가 들리는 듯하더니, 지하실 문이 조금 열렸다.

설마 그 남자가 다시 돌아온 것인가? 여자아이는 순식간에 온몸이 얼어붙었다.

그런데 그 남자가 아닌 듯 했다.

여자아이의 시력은 이제 거의 기능을 할 수 없는 상태였지만, 지금 지하실을 들여다보는 사람은 뭔가 여자아이의 느낌에 그 남자보다 체구가 더 작은 것 같았다. 그리고 겁에 질린 듯 했다.

잠시의 정적이 흐르고, 그 사람이 조심조심 지하실 계단을 내려왔다.

몹시 긴장했다는 걸 알 수 있었다. 마치 살얼음판을 내딛는 것마냥, 그 사람은 아주 천천히 쓰러져있는 여자아이에게 다가왔다. 그리고 가까이 다가서자 주춤거리면서 여자아이에게 손을 뻗었다.

그 때, 여자아이가 살짝 고개를 들었다.

이 사람은 그야말로 지하실이 터져나갈 듯이 비명을 질렀다. 그리고 그대로 지하실 밖으로 뛰어나가 버렸다.

시간이 좀 더 지난 것 같다.

지하실 문이 열려있어, 정말이지 오랜만에 달콤한 공기가 밀려들어오고 있었다. 거기에 고마운 햇살까지. 혼미한 정신으로 여자아이는 이전에는 당연하다고 생각했던 맑은 공기와 햇빛의 존재에 감동을 느꼈다. 그런 한 편, 바깥이 소란스럽다는 것을 알았다. 많은 사람이 모여 웅성거리는 소리, 그 안에 구급차의 사이렌 소리 같은 것이 들리고, 여러 사람의 발소리가 잠시 이어지더니, 그 뒤에 들것을 들고 어른 두 명이 지하실로 내려왔다.

다급한 발걸음으로 여자아이에게 다가온 두 사람은, 익숙한 솜씨로 담요를 꺼내 여자아이를 감싸 들것에 실었다. 두 사람의 옷에서 희미한 소독약 냄새가 풍겼다. 들것에 실린 여자아이는 드디어 지하실 밖으로 나갔다. 아! 얼마 만에 바깥에 나오는 걸까!

지하실 바깥에는 많은 사람들이 모여 있었다. 구급차와 경찰차도 보였다. 경찰관 제복을 입은 사람들도 보였다. 여자아이가 문 밖으로 모습을 보이자, 모인 사람들 사이에서 비명과 한탄이 터져 나왔다.

구급대원들은 여자아이가 실린 들것을 구급차에 태우고, 잠시 대화를 나눈 뒤, 문을 닫고 차를 출발시켰다. 엔진이 크게 포효를 내며 차가 진동하더니, 움직이기 시작했다.

여자아이는 잠들었다. 정말이지 오랜만에, 공포에 기절하는 것이 아니라 편안한 잠에 빠졌다.

## 소녀 - 여섯 번째

은경이 근무하는 병원에 형사 두 명이 찾아왔다.

각각 박동철, 김인수라고 이름을 밝힌 남자형사들이었다. 이들은 병원에 입원한 최준재 환자를 조사하러 온 것이었다. 그리고 어떻게 얘기가 새어나온 것인지는 알 수 없으나, 형사들이 오기 전에 이미 최준재 환자와 관련된 연쇄살인사건 수사로 방문하는 것이라는 소문이 병원에 파다하게 퍼져있었다.

연쇄살인이라니... 영화나 드라마, 그리고 뉴스에서는 자주 들어보던 단어다. 그러나 실제로 현실로써 맞닥뜨리는 건 당연히 처음이다. 그리고 은경은 픽션 속에서 체험하는 살인과, 현실에서 체험하는 살인은 그 차원이 다르다는 것을 알았다. 내 가까이에 무서운 살인자가 있다. 누군지는 알 수 없다... 그것 하나만으로도 등골이 서늘해지고 머리칼이 쭈뼛 서고 다리에 힘이 들어가지 않는다.

형사가 찾아갈 것이라고 병원에 연락이 온 다음 날 아침이었다. 덩치 큰 박동철 형사와 왜소한 김인수 형사가 최준재 환자가 입원해있는 병원 5층으로 들어서자, 모여 있던 간호사들이 모두 긴장했다. 선배 간호사들 뒤에 서서 형사들을 보던 은경도 왠지 몸이 움츠러들었다.

형사들은 따로 빈 사무실 하나를 내달라고 하여, 최준재를 비롯하여 5층에서 근무하는 모든 의료진들을 한 명 씩 불러 심문을 했다. 아주 자세히 심문하는 모양으로, 한 명 한 명 시간이 꽹장히 오래 걸렸다.

은경도 형사의 부름을 받았다. 잔뜩 긴장한 채로 그녀는 사무실로 들어가 탁자 뒤에 앉은 두 형사의 맞은편에 앉았다. 은경이 앉자마자 두 사람은 질문을 시작했는데, 최준재는 언제 입원했으며, 병원 내에서 언행이 어떠했는지, 그리고 특정날짜를 언급하며 그 날 최준재는 틀림없이 병원에 있었는지, 최준재 근처에서 수상한 인물이나 이상한 일은 없었는지, 사소한 것이라도 좋으니 무엇이든 말해달라고 했다.

은경은 아는 대로 다 대답했다. 예, 최준재 환자는 이번 달 1일에 입원했습니다. 간경화로 입원했습니다. 상태는 안 좋은 편이구요... 입원한 그 날은 환자의 동생분이 저녁까지 환자와 함께 있다가 집으로 돌아갔는데 그 뒤로 그 동생분은 병원에 오지 않아서 최준재 환자는 간병인 없이 지냈습니다. 최준재 환자는 언행이 거칠어서 같은 병실의 다른 환자들이 최준재 환자의 병실을 다른 데로 옮겨달라고 병원에 요청하기도 했어요. 욕설을 하기도 하고 집기를 부순 적도 있고 젊은 여성이 지나가면 낯 뜨거운 추파를 던지기도 하고... 그리고 확실하지는 않지만 어딘가 술을 숨겨놓고 몰래 마시는 것 같기도 했고요. 의료진들도 이 환자를 좋게 보지는 않았습니다.

예, 말씀하신 날짜에 제가 아는 한 최준재 환자는 계속 병원에 있었습니다. 병원CCTV에도 찍혀있을 거구요. 최준재 환자 근처를 맴도는 수상한 인물은 전 못 봤습니다. 그 환자와 관련해서 기억에 남는 일은 없는데... 다만, 최준재 환자가 요새 부쩍 노이로제에 시달리는 듯 했어요. 정신과 쪽 진료도 같이 봐야하는 게 아닌가 하는 얘기가 간호사들 사이에서 나오기도 했거든요.

말을 마친 은경은 두 형사가 쉴 새 없이 수첩에다 자신의 얘기를 받아 적는 것을 보았다. 왠지 눈치를 보건데, 다른 의료진들의 얘기와 별 다를 바가 없는 모양이었다.

잠시 망설이던 은경은, 덩치 큰 형사에게 말을 걸었다.

- 저, 형사님...

- 뭐죠?

- 그게 사실인가요? 저기, 최준재 환자의 가족 분들이 전부 살해당했다고 하던데...

두 형사는 서로 눈을 마주 보았다. 잠시 침묵한 후, 둘 중 덩치 큰 형사가 대답했다.

- 예, 맞습니다.

순간, 은경은 사시나무 떨 듯이 온 몸을 떨었다. 공포가 내장을 움켜쥐는 것 같은 느낌이 그녀를 엄습했다. 이 서늘한 계절에 등에서 식은땀이 흘러내려 순식간에 속옷이 흠뻑 젖어버렸다.

덩치 큰 형사는 그런 은경을 잠시 바라보다가, 부들부들 떨고 있는 그녀의 손 쪽으로 잠시 시선을 내리더니, 한 마디 말을 뱉었다.

- 이제 나가셔도 좋습니다.

은경은 후들거리는 다리를 겨우 움직여, 사무실 밖으로 나왔다. 등에서는 아직도 식은땀이 흘러내리고 있었다.

## 수사 - 여섯 번 째

박동철 형사는 별명이 '밥 샙'이다.

미국 출신 이종격투기 선수 밥 샙에서 따온 별명이다. 별명에 걸맞게, 박형사는 키가 185센티에 씨름선수 같은 덩치, 까무잡잡한 피부와 부리부리한 눈매를 갖고 있다.

거기에 오랜 시간 범죄자들을 상대하며 갖게 된 특유의 위압감, 뚫어보는 듯한 눈빛을 하고 있어, 그를 마주하면 거의 예외 없이 사람들은 그에게 위축되었다.

박형사와 김인수 형사가 병원 5층에 들어서자, 의료진들은 모두 잔뜩 긴장한 눈치였다. 일단 매서운 눈빛의 형사들에게 두려움을 느끼고, 거기에 아마도 모두들 살인사건 수사로 두 사람이 방문한 것이라는 걸 아는 듯 했다. 어디서 얘기가 새어나간 걸까.

박형사는 수간호사에게 부탁하여 빈 사무실 하나를 내달라고 한 다음, 그곳에서 최준재와 5층 의료진 전체를 심문하기로 했다. 지루한 시간이 될 것이다. 하지만 반드시 해야 할 일이다. 벌써 세 사람이나 사망하지 않았나. 빈 틈 없이 조사해야만 한다.

그런데 의외의 사실을 알게 됐다. 최준재는 예전에 박형사와 만난 적이 있었다. 21년 전에 경기도 근방의 한 쇠락한 동네에서 일어난, 통칭 '이은아 감금 폭행 사망사건'. 당시 박형사는 그 사건의 용의자 중 한 명으로 최준재를 조사했었다. 긴 세월이 지난 지금, 어찌 된 인연인지 이 남자를 다시 만난 것이다.

올 해 45세의 최준재는, 그러나 50살은 훨씬 넘어보였다. 최준재의 얼굴에서 자연스런 노화와 더불어 그가 한 방탕한 생활의 흔적이 뚜렷하게 보였다. 얼굴 가죽은 잔뜩 늘어졌고, 푸석푸석하고 칙칙한 피부에는 점 같은 얼룩도 잔뜩 보였는데, 박형사의 눈에는 이 얼룩이 꼭 시신에 생기는 시반 같이 보였다.

무엇보다 눈에 띄는 것은 최준재의 눈이었다. 윗꺼풀이 늘어지고, 주름이 자글자글한 눈가의 살, 그 안쪽에 자리 잡은 눈동자는 글자 그대로 썩은 동태의 그것이었다. 더럽고 음울하고 뒤틀린 그의 영혼이 그 눈동자를 통해 선명히 보였다.

이런 남자는 성욕을 어떻게 해소할까. 이 남자가 사악하다는 것은 척 봐도 당장 알 수 있으니 어느 여자도 결혼이든 연애든 해주지 않겠지. 남자의 부유함에 이끌리는 여성들도 있지만 이 남자는 빈티가 철철 흐르니 그것도 불가능할 것이다. 하다못해 매춘여성들도 이 남자를 싫어할 것 같다. 그러니 아마도 한 밤에 길가를 돌아다니며 부주의하게 혼자 다니는 여성들을 노리지 않을까. 이런 남자들은 그런 짓을 반복하면서 명성(?) 높은 성범죄자가 되어가는 것이다.

수많은 범죄자들을 상대해온 박형사는 또 한명의 타락한 인간을 마주하고 씁쓸한 기분이 들었다. 세상에는 참으로 악인이 많다.

문을 닫아놓은 사무실 안에서, 최준재는 두 형사의 질문에 대답하기 시작했다. 그런데 이상한 점이 있었다. 최준재는 겁에 질려 있었다. 아니, 거의 공포에 눌려버린 노이로제 상태인 것 같았다. 온 몸을 떨고 진땀을 쏟았으며, 쉴 새 없이 주위를 살피고, 안 그래도 칙칙한 피부의 눈가에 다크서클이 시커멓게 자리 잡은 채였고, 말은 두서없이 마구 내뱉는 것이 정신상태에 뭔가 문제가 있음을 당장에 알 수 있었다. 처음에는 가족 전원이 사망했다는 엄청난 소식에 충격을 받아 그런 것인가 했는데, 점점 말을 듣다보니 그게 아닌 것 같았다. 박형사는 문득 생각했다.

뭐야 이거, 간경화로 입원했다더니 그게 아니라 정신이 돌았나?

박형사는 횡설수설하는 최준재의 말을 들으며 뭐가 어찌된 것인지 파악하려 애썼다. 그런 와중에, 최준재는 박형사가 21년 전에 자신을 조사한 형사라는 것을 알게 되었다. 그러자 최준재는 달려들 듯이 박형사에게 말을 쏟기 시작했다.

- 이, 이은아 사건, 그, 그 사건 맡았던 혀, 형사님이군요. 자, 잘 됐어요. 형사님 좀 들어보십쇼, 매일 어린애 울음소리가 들린다고요!

- ...울음 소리?

- 예 울음소리! 아니 비명 같기도 하고 웃는 것 같기도 한 소리, 매일 잠들기만 하면 들려요, 귀가 째지는 것 같다고요, 아주 미치겠어요!

- ...그냥 악몽이겠지.

- 아닙니다! 진짜 그 애가 밤마다 저를 찾아와서 귀에 대고 소리를 지른다고요, 비명을 질렀다가 웃어 제꼈다가... 어쩔 때에는 무슨 저주를 하는 것도 같고...

- ...그 애?

- 그 애, 이은아 말입니다. 21년 전에 죽은 이은아, 틀림없어요, 그 애가 이 병원에 입원한 그 날 밤부터 계속 저를 찾아와요. 밤

만 되면 발소리가 들리고 제 주변을 계속 맴돌다가 그런 다음에는 그, 그 소름 끼치게 신음소리 같은 것을 내고...

- ...당신 정신과 진료 받아야하는 것 아니야?

- 아, 아닙니다. 저 안 미쳤어요. 진짭니다! 이은아가 밤마다 저를 찾아와서 저주를 하는 거라고요... 우, 우리 식구들도, 그 이은아가 저주해서 죽은 걸 겁니다!

- ...난 이런 초등학생용 괴담 별로 듣고 싶지 않은데.

- 아, 아닙니다! 며칠 전에는 두 눈으로 봤어요! 불 꺼진 병실에 이은아가 서있었다고요! 그 뭐더라... 그래 트위티! 그 트위티 그려진 원피스! 트위티 눈 부분이 찢어진 원피스를 입고 눈을 하얗게 치뜨고 절 노려보고 있었다니까요, 이은아가 틀림없어요!

박형사는 순간 몸이 굳었다.

심장이 내려앉은 기분이었다. 머리를 망치로 얻어맞은 듯도 했다. 설마... 애써 감정을 추스르며, 그는 물었다.

- 이은아의 원피스가 찢어져있었다는 걸 어떻게 알고 있지?

아차, 멈칫한 최준재는 입을 다물었다.

21년 전의 그 사건, 그 사건은 박형사가 처음 맡은 사건이기도 했고, 무엇보다 굉장히 비극적인 사건이었기에, 오랜 시간이 지난 지금도 사건의 세세한 부분이 박형사의 뇌리에 뚜렷하게 남아있었다.

찢어진 원피스. 그랬다. 당시 빈 집의 지하실에 감금되어 폭행당한 후 발견된 여섯 살 이은아는 만화주인공 트위티가 그려진 원피스를 입고 있었고, 트위티의 눈 부분은 찢겨져있었다. 범인에게 저항하다가 찢어진 것으로 추정되었는데, 이걸 아는 것은 의료진과 수사진,

그리고 범인뿐이다.

최준재는 자신의 실수를 알아챈 듯 했다. 폭포수처럼 말을 쏟아붓다가, 삽시간에 입을 다물어버렸다. 그런 그에게 박형사는 눈을 부라리며 다시 한 번 질문했다. 그걸 어떻게 아느냐고.

최준재는 대답하지 않았지만, 박형사는 직감했다.

오호라 네놈이야. 6세 여아를 감금 폭행하고 결국 죽게 만든 놈, 21년 전에 도무지 증거를 찾을 수 없어 결국 미제로 끝났던 그 사건의 범인이 지금 눈 앞에...

박형사는 피가 거꾸로 솟는 기분이었다. 이 죽일 놈, 이 짐승만도 못한 놈이 그런 짓을 저지르고도 아무런 처벌도 받지 않고 미꾸라지처럼 빠져나가서 대로를 활보하고 다녔단 건가? 이런 엿 같은 일이 있다니...

박형사는 최준재를 바닥에 거꾸러뜨리고 수갑을 채우고 싶은 것을 간신히 참았다. 하아, 말 한 마디 가지고 체포할 수는 없다, 이놈이 그 사건의 범인이 분명한데, 증거가 없다!

박형사는 숨을 가다듬으며 최준재를 노려보았다. 최준재는 몸을 움츠린 채 박형사의 눈치를 살피고 있었다. 영문을 모르는 옆자리의 김형사는 의아하게 박형사 쪽을 바라보고 있었다.

잠시 후 마음을 가라앉힌 박형사는, 계속 최준재를 심문했다. 그 뒤 알게 된 것은 최준재는 가족들의 살해에 얽힌 원한이나 금전 문제, 그리고 범인 등에 관해 전혀 짚이는 것이 없으며, 그들이 사망한 시간에 틀림없이 병원에 있었다는 것이었다. 이 부분은 의료진의 증언과, 병원CCTV를 조사함으로써 확인되었다.

두 형사는 병원 5층의 의료진들도 한 명 씩 전원 심문했다. 강은경이라는 이름의 신입 간호사를 마지막으로 심문을 마치자, 벌써 저녁 무렵이었다.

두 형사는 자리를 정리하고 서로 돌아갔다. 돌아가는 길에, 박형사는 21년 전의 그 사건을 다시 떠올려보았다. 어린 여자아이가 어둠 속에 파묻힌 채 죽어가고 있던, 그 광경을.

## 7장. 어둠 - 일곱 번 째

병원의 밤은 소란과 정적이 함께 한다.

몇 층인지 알 수 없는 넓고 큰 건물이다. 아마도 종합병원이겠지. 세상에는 아픈 사람들이 어쩌면 이렇게 많을까. 쉴 새 없이 환자들이 드나들었다. 제 발로 오기도 하고, 보호자에게 이끌려 오기도 하고, 구급차에 실려 오기도 하고.

그런 환자들을 돌보기 위해, 의사와 간호사들도 병원을 가득 메우고 있다. 가운을 입고, 혹은 초록색 수술복을 입고 의사와 간호사들이 끊임없이 복도를 지나쳐간다. 뭔가 지시 내리는 소리. 환자가 어디가 아픈지 의료진에게 설명하고 의료진은 그에 답하고, 무언가를 찾고 확인하고. 그리고 처음 들어보는 전문용어가 계속 오간다.

그러나 지금 창 밖에는 어둠이 내려앉아있다. 너무나 오랫동안 어둠 속에 버려져 있던 만큼, 나는 어둠이 무서웠다. 창 밖에 똬리치고 있는 저 시커먼 덩어리가 괴물로 보였다. 잠이 들고 꿈을 꾸면, 꿈속에서 어둠이 그 남자의 모습으로, 때로는 소름 끼치는 괴물의 모습으로 나를 쫓아다닌다. 날카로운 이빨을 드러내며 으르렁대는, 큰 덩치와 더러운 털로 덮인 무시무시한 괴물. 어두워서 잘 보이지 않는 괴물의 몸에서 지하실의 그 악취가 난다. 나는 발걸음을 높여 달아난다. 있는 힘껏 도망친다. 그런데 왜 아무리 달려도 집이 보이지 않는 걸까. 거기에 눈앞조차 전혀 보이지 않는 절대적인 어둠속에서 끝 모르고 이어진 지하실만이 계속 나타난다. 이리로 도망쳐도, 또 저리로 도망쳐도 문은 없고, 달아날 수도 없다. 결국 구석으로 몰리면, 그 괴물이, 아니 '그 남자'가 힘세고 끈끈한 손아귀로 나를 잡는다. 소름 끼치는 그 손길에 몸이 마비되고 진땀이 온몸에서 흐르고, 입을 벌려 비명을 지르려고 하는데...

거기서 꿈이 깬다. 눈을 뜨니, 병원 천장이 보인다. 밤이기에 병실의 불은 꺼져있고, 닫혀있는 문틈으로 복도의 불빛이 새어 들어온다.

무섭다, 어두운 건 너무 무섭다. 도저히 견딜 수가 없다. 괴물의 내장 속 같은 어두운 곳에서 며칠이나 버려져 있었다. 어둠은 더는 견딜 수 없다.

잠에서 깨어나 비명을 질렀다. 뱃속 깊은 곳에서 터져 나오는 비명이다. 수압을 더 견딜 수 없는 둑이 갈라지면서 물을 뿜어내듯이, 어마무시한 비명소리가 나의 마음 속 깊은 곳에서 엄청난 기세로 터져 나온다. 도저히 이 비명을 막을 수 없었다. 여섯 살 아이에게 너무나 견디기 힘들었던 공포의 경험이 정신 안쪽 깊은 곳에서 움츠리고 있다가, 비명으로 모습을 바꾸고 몸 밖으로 터져 나온다. 2인용 병실은 비명으로 가득 차고, 그러면 얼마 안 있어 간호사들이 달려온다.

얼마 안 있어 의사도 달려온다. 그들은 뭔가를 상의하고, 그런 얼마 후에 간호사가 주사기를 가지고 온다.

주사는 싫다. 아픈 건 정말 싫다. '그 남자' 때문에 그렇게 아팠는데 또 아프라고? 몸부림치며 다시 비명을 지른다. 그러나 팔에 주사기는 사정없이 꽂히고, 투약된 약물이 나의 날카롭게 저며진 정신에 순식간에 잠을 부른다. 천천히 시야가 몽롱해지고 비명이

잦아든다.

나는 비명과 함께 흘리던 눈물을 어느 순간 멈추고, 찾아오는 잠 속에 빠져 들어간다.

그리고 잠이 들면 다시 악몽을 꾼다.

끝도 없는 악순환이 반복되었다.

**소녀 - 일곱 번 째**

은경의 병원 근무 날이었다.

자정이 지난 늦은 밤.

은경은 다시 그 '여자아이'를 보았다.

이번에는 꿈을 꾸는 게 아니었다. 아니, 꿈이 아니라고 생각했다. 분명히 깨어있는 상태라고 생각했다.

그러나 눈을 크게 뜨고 사방을 응시하고 있는 은경의 눈에, 여자아이가 손짓을 하는 것이 보였다.

여자아이는 지금 계단 방화문 앞에 서있다.

병원 복도의 전등은 어느 새 모두 꺼져있다.

그리고 아무도 없다.

여자아이는 계속 손짓한다.

때와 검댕이 엉겨 붙은 지저분한 손이 까딱거리며 은경을 부른다.

입이 웃고 있다. 그리고 정반대로 눈에는 살기를 띄고 있다.

그러다가 작은 입술을 움직여 들리지는 않지만, 은경은 알아들을 수 있는 말을 한다.

오.늘.은.불.꽃.놀.이.하.는.거.야.

그렇군.

은경은 이 '놀이'를 막을 수 없다는 것을 잘 알고 있다.

무시무시하게 깊은 증오는 터져나와주어야만 하는 것이다. 마치 지각 속의 용암처럼.

혹은 파멸로 인도하는 악마처럼.

은경은 여자아이를 따라갔다.

여자아이는 계단을 힘차게 뛰어올라간다. 아이들 특유의 신이 난 발걸음.

계속 올라간다.

계단 끄트머리에 문이 보인다. 여자아이는 그 문을 열었다.

옥상이었다.

어두운 밤.

늦가을의 차가운 바깥공기. 은경은 몸을 떨었다.

그러나 추워서 떤 것은 아니었다.

이제 벌어질 일을 예감하자 오한이 든 것이었다.

어두운 남빛으로 물든 한밤중의 하늘, 불길하게 움직이는 구름,
차디찬 바람이 냉정한 손길로 온몸을 어루만진다. 병원 최상층의
아무도 없는 옥상, 멀리에는 도시의 불빛이 보이고...

그리고 한 사람이 옥상에 서 있다.

최준재다.

## 수사 - 일곱 번째

박동철 형사의 회상 -

지금으로부터 21년 전, 1998년 여름.

경찰서로 신고전화 한 통이 왔다. 비어있는 집의 지하실에서, 빈

사 상태의 여자아이가 발견됐다는 것이었다.

아이가 발견된 집은 이전 주인이 집을 팔고 난 후에 복잡한 채무관계 때문에 관리하는 사람이 나타나지 않아 6개월 째 버려진 상태였다. 그런 후에 새 주인이 생겼고, 그가 집을 살펴보러 갔다가 지하실에서 악취가 나는 것을 느낀 것이었다.

처음에는 동물 사체가 있나보다 하고 생각한 주인은 지하실의 유리문 너머로 안을 살펴보았는데, 어린이가 엎드려 쓰러져 있는 것이 보였다. 놀란 집주인은 지하실 안으로 들어갔다. 문에는 쇠사슬과 자물쇠가 걸려있었지만, 자물쇠는 잠겨져있지 않았다.

입구에서 보니, 틀림없는 다섯에서 여섯 살 가량으로 보이는 여아였다. 아이가 꼼짝도 하지 않아 주인은 처음에는 죽은 것이라고 생각했다. 그런데 조심스레 다가가보니, 아이가 고개를 약간 들었다.

혼비백산한 주인은 그대로 지하실을 뛰쳐나와 경찰에 신고했다.

그 당시 현장에 출동한 수사진들 중 하나가 박동철 형사였다. 가난한 마을의 후미진 구석에 자리 잡은 폐가 같은 느낌의 빈 집. 그 지하실의 참혹한 광경을 박형사는 똑똑히 보았다. 악취로 가득 찬 지하실, 어두침침한 그곳 바닥에는 쓰레기에 오물과 혈흔이 얼룩져있고, 그리고 작은 여자아이가 가련하게 쓰러져있었다. 입은 원피스에 그려진 만화주인공의 눈 부분이 찢겨져있고, 오른손등은 깊이 패인 상처가 곪아가고 있었다. 아이는 팬티를 입지 않고 있었고, 아이가 입었던 듯 한 팬티는 지하실 구석에 구겨져 내동댕이쳐져 있었다.

무슨 일이 벌어졌는지, 광경을 본 수사진은 한 눈에 알 수 있었다.

아이가 몹시 위독하여, 바로 구급차로 병원으로 후송했다. 형사들은 당장 현장 조사를 시작하고 근방을 탐문하기 시작했다.

아이의 신원이 파악됐다. 이름은 이은아. 올 해 여섯 살. 발견된 지하실에서 약 10분 가량 떨어진 집에 세 들어 사는 가정의 딸이었다.

이 가정은 이미 오래 전에 파탄 난 상황이었다. 이은아의 부모는 사이가 매우 나빴으며, 최근 1년 간 거의 매일 부부싸움이 있었다고 했다. 거기에 아버지는 알콜중독이었고, 어머니는 한 달 전 가출했다. 가정의 재정상태도 글자 그대로 파산 직전이었다.

아버지의 행방을 찾아보니, 그는 벌써 1주일 전에 급성알콜중독으로 길에서 쓰러져 병원에 입원해 있었다. 형사들이 아버지가 입원한 병원을 찾아갔는데, 그 자신도 병자였다. 죽음을 앞둔 알콜 중독자의 전형적인 모습, 눈의 흰자위는 노랗게 변색되고 얼굴색은 좀비처럼 칙칙하며, 정신이 혼미하고 헛소리를 해댄다. 도저히 위독한 딸을 돌볼 수 있는 상태가 아니었다.

가출한 어머니의 행방은 끝내 찾을 수 없었다.

하층민의 가정에서 흔하게 볼 수 있는 경우였다. 가난 등으로 부부가 극심하게 갈등한다. 남편 쪽이 알콜 중독에 빠지고, 부인은 가출한다. 그리고 돌보는 사람이 없는 어린 자녀들은 방치된다.

그렇게 방치된 아이가, 성범죄자의 손에 걸린 것이다.

이은아는 운이 나빴다. 나빠도 너무 나빴다.

수사진들은 범인을 찾으려고 진땀을 흘렸다. 일단 용의자들을 추려 서로 불러 조사했다. 그 용의자 중의 한 명이 당시 24세의 최준재였다. 당시 최준재는 전과는 없었지만, 일전에 여중생 강간 미수를 일으켜 서에서 조사받은 적이 있었다.

박동철 형사가 최준재를 심문했다. 그에게는 여러 가지로 수상한 점이 있었다. 일단 사건이 일어난 곳에서 버스로 약 10분 거리에 살며, 상술했듯이 강간 미수를 저지른 적이 있고, 주변의 평판도 나빴다. 중학생 시절부터 가출을 밥 먹듯이 하며 폭행 등을 일삼았고, 본드도 흡입한 이력이 있었다. 여자관계도 문란했다.

박형사는 최준재라는 이 남자, 겨우 스물네 살 밖에 되지 않았지만, 온몸에서 담배냄새를 풍기며 탁한 눈빛으로 저속한 단어를 내뱉는 양아치를 한심하게 바라보았다. 이런 쓰레기 같은 인간은, 뭐 부처님이나 예수님 급의 성인군자가 나타나 가르침을 내리든가, 그게 아니면 벼락이라도 맞아서 죽었다 되살아나지 않는 이상에는 갱생이 불가능할 것이다. 박형사는 그렇게 생각했다.

그러나 최준재는 구속되지 않았다. 증거가 없었기 때문이었다. 최준재를 비롯하여 조사받은 용의자들 중에 범인으로 특정할 수 있는 인물을 찾지 못했다. 범행현장인 지하실을 샅샅이 조사했으나, 지문, 족흔, 정액 같은 증거를 전혀 찾을 수 없었다. 게다가 범죄가 일어난 동네는 무척 가난한 동네였고, 그래서 어디에도

CCTV가 달려있지 않았다. 목격자도 없었다. 수사진들이 갖은 애를 썼지만, 결국 범인은 검거하지 못했다.

어쩔 수가 없다.

증거도 증언도 없다면, 아무도 체포할 수가 없는 것이다.

분명히 어딘가에 범죄자가 존재하는 데도.

박형사를 비롯하여 수사진들은 자괴감에 빠졌다. 그런 와중에, 경찰서로 전화가 왔다. 박형사가 전화를 받았다. 병원에서 온 전화였다.

이은아가 사망했다는 것이었다.

## 8장. 어둠 - 여덟 번 째

죽음이 다가온다.

섬뜩할 정도로 분명히 느낄 수 있었다. 몸속에 잠재된 본능이 알람소리를 낸다.

끝이라고.

지하실에서 너무 오래 방치된 것이다. 냉기가 몸에 스며들고 지속적으로 폭행을 당했으며, 그런 가운데 며칠 동안 마시지도 먹지도 못했다. 거기에 여섯 살의 정신으로 어둠과 마주하고 긴 시간 피가 마르는 공포를 느껴야했다.

성인이라도 감당하기 힘든 경험이다. 이겨내고 견뎌내기엔 여자아이는 너무 어렸다.

의료진들은 계속 여자아이를 주시했다. 중환자실로 실려 온 지이미 오래였다. 담당의사가 이마에 고뇌를 가득 담고 매일매일여자아이를 진찰했다. 그는 모든 노력을 다 하고 있었다. 꺼져가는 생명을 되살리기 위해.

그러나 의사는 신이 아니다.

여자아이는 운이 나빴다. 상태는 점점 나빠져 갔다.

시간이 좀 더 지나자, 인공호흡기를 달았다.

의료기기에서 나는 소리가 들린다.

갖가지 기기들이 침대 주위에 잔뜩 늘어서 있다. 전선들이 어지럽게 그 주위를 가로지르고, 기기에서는 무언가 계속 신호를 보낸다. 끊임없이 의료진들이 기기를 살피고, 그리고 여자아이를 살핀다.

기계에서 나는 소리를 제외하면 주위는 조용하다. 심신이 아주 약해져 생사를 오가는, 중환자들이 치료받는 곳이다. 이야기를 나누기는커녕 정신을 차릴 기력조차 없는 사람들이다.

여자아이는 그런 환자들 사이에 한 침대를 차지하고 누워있었다. 아이의 정신은 몽상과 현실 사이를 오가고 있었다. 잠이 든 상태에서도 주위의 상황을 느끼기도 하고, 깨어있으면서도 몽환적인 광경을 보았다. 의사와 간호사들이 아이에게 다가와 청진기를 대고 몸을 살피고 있는 동안에도, 눈에는 허공 속에서 예전에 텔레비전에서 본 만화주인공들이 날아다녔다. 꿈과 현실이 진흙탕 속의 물과 모래처럼 뒤섞였다. 사람의 정신은 신비한 면모가 있어서, 감당 못 할 고통에 시달리자 고통을 조금이나마 완화시킬 수 있도록 정신을 혼미하게 만들고 즐거운 세상을 꿈속에서 보여주는 것이었다. 예쁜 고양이와 강아지와 천사 소녀들이 여자아이의 눈앞에서 날아다니며 아이를 웃게 만들었다.

그런 한 편으로, 의료진들의 표정이 점점 더 어두워지는 것을 아이는 느낄 수 있었다. 뭔가 상황이 나빠지고 있는 것이다. 의외로 아이들은 몹시 예민하다. 가르쳐주지 않아도 알 수 있다.

죽음이 다가오고 있는 것이다.

그러나 기묘하게도, 점점 다가오는 죽음의 세계는 얼마 전에 갇혀있던 그 지하실보다 훨씬 나은 곳이었다. 이곳은 더 이상 '그 남자'도 없고, 다투는 엄마 아빠도 없고, 춥지도 배고프지도, 또 어둡지도 않다.

여자아이는 더 이상 두렵지 않았다. 받아들여야만 한다. 죽.는.것.이.다, 돌아가는 것이다. 태어나기 전에 있었던 곳으로. 이 가혹한 세상에서 시달렸던 육신을 떠나 더 이상 고통이 없는 그곳으로.

마음의 준비는 어느 샌가 되어있었다...

### 소녀 - 여덟 번 째

어둠이 내린 한 밤의 건물 옥상.

먹물 같은 구름이 하늘에서 물결치고, 늦가을의 차디찬 바람이 불어닥친다, 아주 세차게. 몹시 춥다. 추워서 몸이 덜덜덜 떨린다. 하지만, 단지 추워서 떨리는 것만은 아닐 것이다.

시커멓게 물든 시멘트의 바닥이 펼쳐져있다. 계속 이어지는 인공의 바닥, 다른 사람은 없고 오직 단 한명이 그 끄트머리에 있다...

그 남자가 서 있다.

최준재.

그는 공포에 질려있다. 너무나 무서워 몸서리치게 온몸을 떨고 있다. 눈을 보면 더욱 분명히 알 수 있다. 종말을 맞닥뜨린 생물의 확장된 눈동자. 아마 몸을 움직일 수조차 없을 것이다. 공포에 마비되어서.

그의 몸에는 시커먼 빛깔의 점도 높은 액체가 뒤덮여 흘러내린다. 휘발유 냄새가 난다.

여자아이가 그에게 다가간다.

아이가 다가올수록, 그는 뭔가 알아들을 수 없는 신음소리를 냈다. 하지 마라든가, 살려줘라든가 그런 말인 듯한데, 이미 혀도 마비된 듯 도저히 알아들을 수가 없다.

여자아이가 섬뜩한 미소를 지으며 손을 들어올린다. 작은 손에 쥔 불붙은 성냥.

최준재는 이젠 신음소리조차 내지 못하고 있었다.

그런 그의 몸에 성냥이 닿았다.

불길이 삽시간에 최준재의 온몸을 휘감았다. 오렌지색의 화려한 불꽃이 춤춘다. 물결치는 세찬 불꽃. 최준재는 찢어지는 비명을 질렀다.

증오하는 인간이 고통스러워하는 걸 지켜보는 건 환희다. 이 인간의 고통에 비례해서 기쁨도 더 커진다. 그래, 계속 울부짖어라, 더 비명을 질러라...

타는 냄새가 삽시간에 진동한다. 지옥이란 이름의 향수가 있다면, 이런 냄새가 나는 게 아닐까.

물론 이걸로 끝나는 게 아니다.

여자아이는 불길에 싸여 몸부림치고 있는 최준재에게 다가갔다. 최준재는 불에 타면서 끔찍한 비명을 질러대고 있었다. 여자아이는 그런 그에게 다가가 작은 손으로 있는 힘껏,

그를 떠밀었다.

성인남성의 몸이 가진 육중한 중량감.

최준재는 비명을 지르며 옥상의 난간 너머로 사라졌다...

이 모든 광경을, 은경은 넋이 나간 듯이 지켜보고 있었다...

그 순간,

복도의 전등이 다시 들어왔다.

은경은 정신을 차렸다. 병원 복도의 끄트머리에 있는 방화문 앞. 그렇다, 밤 근무를 하던 중이었다.

잠시 멍하니 서있던 은경은 곧 정신을 추스렸다. 추운데도 몸에서 진땀이 난다. 옷매무새를 가다듬으며 생각했다. 또 환각을 보

았다. 요즘 계속 이런 일이 생긴다. 오싹해라. 왜 이러지, 근무가 너무 힘들어서 피로가 극심한가? 은경은 눈앞에서 벌어졌던 무시무시한 광경을 떠올리며 잠시 오한에 떨었다.

그 때 복도 반대편에서 소란스러운 소리가 들렸다.

대기근무 중이던 의료진들이 웅성거리며 아래층으로 뛰어 내려가고 있었다. 다들 깜짝 놀란 기색이었다.

그 중 누군가가 소리쳤다. -옥상에서 사람이 떨어졌어요!

은경은 달려가지 않았다.

누가 떨어진 것인지 이미 알고 있으니까.

## 수사 - 여덟 번 째

박동철 형사의 회상 -

이은아가 죽었다.

사실, 어느 정도 예상하던 일이었다. 발견 당시 아이의 상태를 보면 희망은 사실 없어보였다. 그러나 한 편 살아나주길 하는, 기적이 일어나길 하는 바람도 있었다.

그러나 기적은 일어나지 않았다.

여러모로 비극적인 사건이었기에, 이은아의 사망소식을 들은 여성 경관 한 명은 눈물을 쏟기도 했다. 그렇다, 정말 가슴 아픈 일이고 너무나 가여운 아이다.

하지만 어쩔 도리가 없다. 삶이란 잔혹할 때가 있는 법이다. 작은 아이에게조차도.

병원에 입원 중인 이은아의 아버지도 거의 죽어가고 있는 상태로 딸의 시신을 인수할 처지가 못 됐다. 아이의 장례를 진행할 다른 일가친척도 없는 상황이라 이은아의 이후 장례 등 모든 절차는 해당 동사무소에서 진행됐다. 아이의 시신은 화장됐고, 재는 집 근방의 산에 뿌려졌다.

사건의 범인은 끝내 잡을 수 없었다.

2019년.

서에서 박동철 형사가 신원조회를 신청하고 있던 중에, 긴급한 전화 한 통이 왔다.

최준재가 병원 옥상에서 불에 탄 채 추락했다고 했다.

# 9장. 어둠 - 아홉 번 째

나는 천국에 있었다.

햇빛이 충만하여 항상 밝은 곳이다. 그리고 해가 지더라도 그때부터는 환한 전등이 불을 밝히고, 근사한 색깔의 벽지가 빛을 받아 은은하게 빛난다.

그리 크진 않지만 가재도구가 잘 갖춰진 현대식 아파트다. 몇 층인지는 알 수 없지만 확실히 남향인 듯하다. 아침이면 거실 베란다 너머로 해가 뜨는 광경을 볼 수 있다. 사방에서는 청결하고 기분 좋은 냄새가 난다. 깨끗이 청소가 되어있고 필요한 가구며 가전제품들이 잘 정돈되어 놓여있다. 이런 것들이 나를 안심시킨다. 여전히 어둠은 두렵지만, 밤이 되면 창 밖에서는 아파트 단지의 불빛들이 은하수처럼 반짝거려 아주 예쁘다. 햇빛이라고는 구경하기도 힘들던 그 지하실과는 너무 다르다.

그리고 따뜻하다. 조금 더울 정도로 따뜻하다. 몸 구석구석을 데워주는 듯한, 기분 좋고 안락한 따스함이다.

그리고 보호자가 있다. 남자어른 한 명, 여자어른 한 명. 예전에 내 앞에서 사납게 싸워대던 그 볼썽사나운 보호자들이 아니라 정말 다정하고 친절한 보호자다. 일단 말투부터 다르다. 엄마 아빠는 항상 가시 돋친 말투로 욕설과 비속어를 섞어 소리를 질러댔지만, 이 어른들은 차분하고 단정하게 말을 건다. 부드러운 목소리에 어느 샌가 마음이 따뜻해진다. 그리고 그들이 나의 눈을 들여다보면, 따뜻한 기운이 흘러나와 나를 감싸는 것을 느낄 수 있다. 가슴 깊은 곳에서 우러나오는 진실한 관심과 애정을, 나는 한껏 느낄 수 있었다.

처음에는 긴장했다. 낯선 사람들이라 무서워했다. 가까이 가지도 않았다. 하지만 조금씩, 시간이 지나면서 그들이 안전하다는 것을, 나를 다치게 하지 않을 거라는 것을, 그리고 나를 보호하려 한다는 것을 알아챘다.

그리고 나에겐 보호자가 절실히 필요했다. 이제 겨우 여섯 살이 아닌가. 식사에서 잠자는 것까지 모든 면에서 보호자의 도움을 받아야 하는 나이다. 나는 그들에게 도움을 받으면서, 차츰차츰 마음을 열게 되었다.

예쁜 인형과 그림책도 잔뜩 있다. 나는 그 중에서 토끼인형이 제일 좋다. 회색 털을 가진 작은 토끼는 진짜 토끼처럼 정말 말랑하고 부드럽다. 품에 늘 안고 놓지 않았다.

읽고 싶은 그림책을 가리키면, 그들이 나를 무릎에 앉히고 책을 읽어준다. 나긋한 목소리로. 몇 번을 더 읽어달라고 해도 짜증 내지 않는다. 예전에 우리 엄마는 책을 읽어달라고 하면 몹시 귀찮아했었는데...

만화영화도 볼 수 있었다. 역시 아이들은 애니메이션을 좋아한다. 나는 특히 딱따구리가 재미있었다. 그 새 캐릭터가 희한한 목소리로 울어대면, 그렇게 즐거울 수가 없었다. 너무 좋아서, 방영시간이 끝나면 서운해서 울음이 터지기도 했다.

이젠 식사도 가능하다. 얼마 전까지만 해도 고체는 전혀 삼킬 수가 없었다. 그러나 위장이 점점 건강을 되찾았다. 여자어른이 하루에 세 번씩 식사를 차려주면, 나는 모두 먹어치웠다.

나뭇가지처럼 말랐던 팔과 다리에 살이 오르고, 눈에 띄게 혈색이 좋아지기 시작했다.

자다 깨어 비명을 지르는 일도 줄어들기 시작했다. 비명을 지르면, 보호자들이 바로 달려와 나를 안고 달래주었다. 따뜻한 이 품안이 너무나 그리웠다! 단단한 가슴에 안겨 체온과 심장박동을 느끼며 안도하는 순간이 얼마나 절실했던가.

그런 날들이 하루하루 지나면서, 나는 확실히 악몽을 덜 꾸고, 잠을 잘 자기 시작했다.

## 소녀 - 아홉 번째

은경은 병원에 생리휴가를 신청했다.

물론 지금이 휴가를 신청할 만한 시기가 아니라는 것은 잘 알고 있었다. 입원 환자가 옥상에서 추락사했다. 그것도 온몸이 불에 탄 채로. 엄청나게 충격적인 사건이었고 병원 내 입원환자들과 직원들, 의료진들 모두 태풍에 휩쓸린 듯 무서운 혼란에 빠져있었다. 형사들도 매일 같이 병원을 드나들었다. 안 그래도 정신없이 바쁜 곳이 병원이지만, 지금은 그야말로 전쟁터 같았다.

그러나 어쩔 수 없었다. 은경의 생리통이 극심하다는 것은 수간호사를 비롯해 다들 아는 바였다. 생리 중에는 근무가 사실 불가능했다. 수간호사는 내일부터 일주일간 휴가를 허락했고, 은경은 간호사 휴게실에서 사복으로 갈아입고 짐을 챙겨 퇴근했다.

저녁이었다. 해가 진 후, 어둠이 내린 바깥에는 가을비가 내리고 있었다. 은은한 비 냄새가 풍겼다.

병원 현관에서 우산을 펼치던 은경은 문득 먼발치에서 누군가가 빗속에 우두커니 서있는 것을 보았다.

제법 세찬 차가운 비, 사방이 어두컴컴한 가운데 우산도 쓰지 않은 채 서있는 덩치 큰 남자.

전에 본 적이 있는 사람이다.

최준재 환자를 조사하러 왔던, 박동철 형사다.

박형사는 뚫어져라 이쪽을 바라보고 있었다.

틀림없이 은경을 보고 있다.

은경은 긴장한 채로, 박형사의 커다란 눈을 마주보았다.

그 때 박형사의 입술이 움직이고, 그가 한 마디 말을 했다.

은경은 대답하지 않았다.

순간, 은경은 이 바윗덩어리 같이 강인해 보이는 형사의 무표정이 무너져 내리는 것을 보았다.

그것은 연민과 고통, 번민, 고뇌, 두려움,

그리고 슬픔이 합쳐진 그런 표정이었다.

박형사는 작게 한숨을 내쉬고, 그리고 뒤돌아 길 저편으로 사라졌다.

해가 진 뒤 퇴근 시간의 어두운 도시, 도로에서는 쉴 새 없이 자동차가 오가고, 거무스름한 색깔의 하늘에서는 비가 퍼붓고, 병원 밖 도심에는 온갖 색깔의 불빛이 반짝거렸다.

추웠다. 그렇지만, 왠지 움직일 수가 없어, 은경은 한동안 그 자리에 서있었다.

## 수사 - 아홉 번 째

최준재 일가족 피살 사건.

경찰서 내에서는 사건이 이제 이렇게 불렸다. 최준재를 포함하여 그의 직계가족이 전원 사망했고, 무엇보다 최준재는 틀림없이 살해당했다. 그것도 아주 잔인한 방법으로.

큰 사건이 터지면 늘 그렇듯이, 경찰서 내에서는 형사들이 분주하게 움직였다. 최준재와 그 가족과 관련된 모든 것이 조사 대상이었다. 금전관계, 원한관계, 친척이나 이웃 등과의 관계 등, 수사는 아주 철저하게 진행되고 있었다.

그런 와중에, 박동철 형사는 깊은 고민에 빠져있었다.

이전에는 느껴본 적이 없는, 무시무시한 번뇌였다.

## 10장. 어둠 - 열 번째

여자아이는 삶과 죽음의 경계선에 있었다.

세상은 의외로 경계가 뚜렷하게 나누어지지 않는다. 선과 악, 밝음과 어둠, 아름다움과 추함이 뚜렷하게 나뉜다고 사람들은 생각하지만 사실은 그 경계선에도 수많은 중간층이 존재한다. 삶과 죽음 사이도 그렇다. 이미 죽은 자들과 아직 태어나지 않은 자들이 속해있는, 생(生)도 아니고 사(死)도 아닌 경계선이 있고 그 안에,

여자아이는 아직 죽음을 받아들이지 못하고, 존재해 있었다.

여자아이가 있는 곳에서는 시간이 가지 않는다.

이곳에서는 과거도 현재도 미래도 없다. 다만 존재만이, 태어난 지 6년 밖에 지나지 않아 제대로 갖추어지지 못한 자아만이 깊은 상흔을 안은 채로 떠돌고 있었다.

여자아이는 고통스러웠다. 억울했다. 그리고 증오스러웠다. 이것은 절대로 가벼이 털어낼 수 없는 분노와 원한이었다. 왜 이런 일을 당했어야 하는 걸까? 왜 이런 모진 고통과 폭력을 당해야만 했나? 왜 부모란 사람들은 태어난 자식을 그렇게 제대로 돌보지 못하고 내팽개쳐두고 끔찍한 사고를 겪게 했나?

왜 이런 부당한 폭력에 내가 죽어주어야만 하는 것인가!

뱃속에서 치밀어 오르는 분노가, 여자아이 마음속에서 무시무시

한 괴물이 되어 똬리를 친다.

절대로 용서하지 않을 것이다, 절대로.

엄마도, 아빠도,

무엇보다 '그 남자'도.

'그 남자'가 이런 잔인한 짓을 저지르고도 버젓이 죄 없는 사람 시늉을 하며 살아가는 것만큼은 절대로 내버려둘 수 없다.

파.괴.해.주.겠.다.

한 인간을 철저히 파괴하려면, 먼저 그 인간과 가까운 사람들, 즉 가족들을 한 명씩 없애버리는 좋은 방법이 있다.

가족들이 한 명씩 사라질 때마다, 피가 마르고 팔다리가 잘려나가는 듯한 공포를 느낄 것이다.

그리고 마직막에 끊어주겠다.

그 악마의 숨통을.

## 소녀 - 열 번째

은경은 집에 돌아와 이불 속에 누워있었다.

생리 때면 늘 찾아오는 그 통증이다. 이번에도 극심해서, 은경은 진통제를 먹고 누워있었다. 거기에 이번에 병원에서 일어난 충격적인 사건 때문에, 정신도 말 할 수 없이 지친 상태였다. 지금 은경을 보면 몸도 마음도 편치 못하다는 걸 금방 알 수 있었다. 피부는 까칠하고, 눈가에는 다크서클이 진하게 올라왔다.

약이 작용하기 시작하여, 조금 통증이 누그러지자 은경은 살풋 잠이 들었다.

그리고 꿈을 꾸었다.

어두운 지하실.

지저분하고 냄새가 지독한, 지옥 밑바닥 같은 그 지하실이다. 잔혹한 폭력이 벌어졌던 그곳.

어두울 때면 늘 그렇듯이, 은경은 트라우마에 정신이 위축되어 겁에 질려 그 자리에 꼼짝 못 하고 서있었다.

그리고 조금 떨어진 곳에 서있는 것이 보였다.

여자아이.

예의 그 찢어진 원피스를 입은 여자아이가 서있었다.

은경은 물끄러미 아이를 쳐다보았다.

무서운, 그리고...

가여운 아이.

여자아이가 입을 살짝 움직이더니, 빙긋 미소를 지었다.

그리고 말했다.

그.럼.잘.있.어.

그리고 아이는 돌아서서 가버렸다.

저 멀리로 가버린다.

떠나버렸다.

은경은 잠에서 깨어났다.

불이 밝혀진 천장을 올려다보았다. 밖에서는 가을비가 내리고 있었다.

그녀의 마음속에, 가까운 존재와 이별할 때의 그 상실감이 스며들었다.

은경은 조금 울었다.

그리고 마음속으로 답했다.

-잘 가.

## 수사 - 열 번째

경찰서에 불이 났다.

어디서 발화한 것인지, 순식간에 화마가 경찰서 강력계를 덮쳤다.

무시무시한 불길이었다. 전설 속에 나오는 용처럼 붉은 기운이 사무실을 집어삼켰다. 그나마 다행인 것은 마침 점심시간으로 형사들이 식사하러 전원 나가있는 상태였기 때문에 사무실에 갇힌 사람은 없었다.

식사를 마치고 서로 돌아온 형사들은 당연히 식겁했다. 건물 근방에 모여 어찌할 바를 모르고 불길이 널름거리는 건물의 창을 주시했다. 이미 누군가가 스마트폰으로 소방서에 연락은 했으나, 소방차가 달려오려면 시간이 걸릴 것이다. 그 때까지는 두 손 놓고 바라볼 수밖에 없었다.

소란스러운 형사들 틈에 서서, 박동철 형사는 21년 전의 '이은아 사건'을 다시 떠올리고 있었다. 세간에 알려지지 않은, 당시 사건 수사진들과 의료진 몇몇만이 알고 있는 숨겨진 사실을.

그 때 지하실에서 발견된 아이는 두 명이었다. 이은아와 은아의 쌍둥이 여동생.

이은아의 원피스는 앞부분에 그려진 만화캐릭터의 눈 부분이 찢어져 있었고, 동생 쪽은 오른쪽 손등이 찢겨져 곪아있었다. 발견 당시 둘 다 위독했으며, 곧바로 병원으로 옮겼으나, 이은아는 결국 사망했다.

그러나 동생 쪽은 운이 좋았다. 그 아이도 생사의 고비를 넘나들었으나, 어느 순간 차도를 보이더니 기운을 찾기 시작했다. 좀 더 시간이 지나자, 의료진은 아이가 위기를 넘겼으며, 살아날 것 같다고 연락해왔다.

동생의 회복이 확실해지자, 당시 수사팀장은 아이의 안전을 무슨 일이 있어도 지켜야한다고 했다. 이런 극적인 사건에서 살아난 아이가 있고 그것이 신문이나 사람들의 귀에 들어가게 된다면, 아이의 신변이 위험해질 수 있다는 것이었다. 이미 끔찍한 일을 겪었는데 또 다른 범죄자가 꼬일 수 있는 상황은 피해야 한다고 했다. 수사진 전원 이 얘기에 동의했고, 그래서 세간에는 지하실에서 발견된 아이는 한 명 뿐이며, 그 아이는 사망했다고 알려지게끔 했다. 동생의 신변은 관계된 의료진과 수사진 이외에는 누구도 몰랐다.

동생에게 또 좋은 일이 생겼다. 수사진을 비롯한 관계자들의 노력 끝에, 인품이 훌륭하고 경제적인 여유가 있는, 입양을 희망하는 부부를 찾을 수 있었다. 극히 비밀리에 아이는 그 부부에게 입양되었으며, 그 뒤 강은경으로 이름이 바뀌었다.

은경을 만난 그 날, 박형사는 그녀의 오른쪽 손등에 커다란 흉터가 있는 것을 보았다. 왠지 그 흉터가 박형사의 뇌리 깊숙한 곳에 새겨진 기억 하나를 자꾸 건드렸다. 21년 전의 그 사건, 동생 쪽의 손에 나있던 무시무시한 상처.

박형사는 강은경의 신원조회를 해보았고, 그래서 은경이 21년 전 사건에서 살아남은, 그 때 그 아이라는 것을 알게 되었다.

은경의 정체를 알게 되자, 박형사는 말로 할 수 없는 번민에 싸였다. 이번 사건이 왜 일어난 것인지 단번에 알 수 있었다.

은경이 주요 용의자로 언급되었을 때, 사무실에는 침묵이 흘렀다. 박형사는 이것이 동의하는 침묵이라는 것을 알았다. 박형사 자신도 그 침묵한 형사들 중 한명이었다.

경찰이 일을 허투루 한다고 생각하는 사람들이 있다. 하지만 그렇지 않다. 그리고 무엇보다, 살인사건은 더더욱 허투루 수사하지 않는다. 살인사건이 발생하면 즉시 경험 많은 형사들이 여럿 투입되어 글자 그대로 먼지 한 톨까지 치밀하게 수사한다. 게다가 요즘은 거리 곳곳에 CCTV가 달려있고, 과학수사도 엄청나게 발달했다. 살인범은 거의 대부분 검거되게 되어있다. 수십 년 전 일어난 살인사건의 범인도 잡아내는 세상이다.

그러나 박형사는, '이은아 사건'의 현장을 두 눈으로 보았었다. 더럽고 어두컴컴한 지하실에 무참하게 쓰러져있던 가여운 두 생명을.

이번에 병원에서 최준재를 심문하면서 박형사는 그가 21년 전 사건의 범인임을 직감했다. 박형사는 분노했다. 그런 한 편, 최준재를 본 은경이 어떤 심정이었을 지도 절절이 알 수 있었다.

최준재는 더러운 범죄자다. 그 놈은 당연히 벌을 받아야만 한다.

박형사는 널름거리는 불길을 보며 생각했다. 이 불길은 수사 자료를 얼마나 훼손시킬 수 있을까. 그리고 그렇게 하면 은경이 구속되는 것을 막을 수 있는 걸까.

박형사는 그러나 앞날의 어떤 것도 확신할 수 없었다.

다만 하나 기묘한 것은, 최경재와 오미영의 피살 당시에 드러났던 어린아이의 존재였다. 박형사는 귀신이니 괴담 같은 것은 전혀 믿지 않는다. 은경은 도대체 어떻게 영상과 지문을 조작한 걸까.

그리고 또 하나, 어째서 박형사 자신을 비롯하여 '이은아 사건'에 관계되었던 세 사람이 이렇게 다시 마주치게 된 걸까.

세상에는 정말로, 논리로써는 설명할 수 없는 일이 많다.

시커먼 연기가 사방을 훑어대는 가운데, 멀리서 소방차 사이렌 소리가 들렸다.

## 마지막장 - 어둠과 소녀

은경은 다리 난간에 기대서서, 아래쪽에서 흐르는 개천을 바라보았다.

무려 21년 만에 와보는 곳이다. 이곳은 은경이 태어나고 자란 고향 마을이다. 입양되기 전까지 살았던.

세월이 상당히 지나, 이곳도 많이 변했다. 그 때는 판자촌이라고 불러도 무방할 만큼 가난하고 남루한 마을이었는데, 그 사이 재개발이 이루어진 모양이었다. 집들은 새로 지어올린 깔끔한 빌라들이었고, 주변 도로도 모두 단정하게 정비되어 있었다. 편의점과 근사한 인테리어의 카페가 곳곳에 들어와 있었다.

마을 근처를 흐르던 개천 위에도 새로 만든 아담한 다리가 놓였다. 은경은 그 다리 위에 올라와있었다.

추운 날씨에 몸을 움츠리며, 은경은 지난날들을 돌이켜보았다.

입양되고 난 후, 상당한 시간이 걸렸지만 은경은 몸과 마음을 회복할 수 있었다. 양부모님의 헌신적인 애정 덕분이었다. 난민마냥 보기 애처로웠던 마른 몸에 살이 붙고, 혈색도 좋아지고 눈도 맑아졌다. 무엇보다 정신에 난 상처도 시간이 지나감에 따라 차츰 잊어지면서, 은경은 아이들 특유의 천진함을 어느 정도 되찾게 되었다. 물론 일주일에 두 세 번씩 꾸는 악몽은 어쩔 수 없었지만.

그러나 이렇게 겉으로는 보통 아이처럼 보였어도, 은경에게는 어둠에 대한 격한 트라우마가 있었다. 어두운 곳은 일절 들어가지 못했고, 영화관에도 갈 수 없었다. 상영이 시작되면 불이 꺼지기 때문이었다. 밤에 잘 때도 불을 켜둬야만 잘 수 있었고, 해가 진 뒤에는 가로등이 꺼지거나 혹은 다른 불빛이 없어 어두컴컴한 곳은 아예 지나갈 수도 없었다.

남들에게 알려지지 않게 심리상담을 받으러 다니던 때, 은경은 상담사에게서 은경이 겪은 일을 글로 써서 '내보내는' 것이 좋겠다는 충고를 받았다. 은경은 그렇게 했다. 떠오르는 기억들을 적어보았다. 자신이 겪은 일은 '나'라고 주어를 써서 1인칭으로, 언니 은아가 겪은 일은 '여자아이'라고 3인칭으로 썼다. 이렇게 글을 쓰는 건 은경의 다친 마음에 상당히 도움이 되었다.

은경이 생리를 시작한 건 중1 때였다. 그러나 은경의 생리는 정상이 아니었다. 일단 주기부터가 굉장히 불규칙해서, 몇 달 만에 한 번을 할 때도 있고, 어떤 달은 한 달 내내 하혈을 하기도 했다.

언젠가는 무려 1년 만에 생리가 터졌는데, 경혈의 양이 비정상적으로 많았다. 5분 만에 1.5 리터 가량의 피가 쏟아지는, 그야말로 폭포수처럼 쏟아 붓는 지경이었다.

어떤 때는 생리를 하는 대신, 일주일 내내 코피를 쏟기도 했다. 나중에 의사에게서 진단을 받아보니, 자궁이 미성숙하거나 큰 손상을 입어 제 기능을 하지 못하는 경우, 경혈이 코로 대신 나오는 경우가 있다고 했다.

생리통도 엄청났다. 팀 버튼의 영화 '가위손'의 주인공 에드워드가 그 가위 달린 손으로 자궁을 걸레 빨 듯 비틀어 짜는 듯한 통증이 생리 기간 내내 계속 되었다. 생리가 시작되면, 은경은 고문이라도 당하는 심정으로 꼼짝 못 하고 집에 누워있어야만 했다.

유명한 산부인과 의사를 찾아가 진찰을 받았을 때, 의사는 은경의 자궁은 사실상 망가졌다고 해야 하며, 성관계는 가급적 하지 않는 것이 좋고, 임신은 불가능할 것이라고 진단했다.

은경은 장애인이었다.

그러나 은경은 절망하지 않았다. 결혼은커녕 연애도 포기했지만, 어쨌든 겉으로 드러나는 장애는 아니었고, 무엇보다 세상을 떠난 언니를 생각하면 그래도 자신은 새 인생을 받지 않았는가. 햇빛을 볼 수 있는 하루하루가 감사했다.

극심한 생리통과 문득문득 찾아오는 악몽에 시달리면서 은경은, 자신처럼 아픈 사람들을 위해 일하고 싶다는 생각을 하게 되었다. 아프고 힘겨운 사람들을 위해, 조금이나마 도움이 되고 싶다고, 그럼으로써 은경 자신이 위안을 받을 수 있을 거라 생각했다.

은경의 학창시절은 순탄했고, 성적은 우수했다. 어렵지 않게 간호대학에 들어갔고, 자격증도 무난히 딸 수 있었다. 종합병원에서의 근무가 확정되자, 부모님은 몹시 기뻐하며 자랑스러워하셨다. 은경도 자신이 뿌듯했다.

병원에서 약 석 달 정도 만에 은경은 업무에도 적응하고, 선배 간호사들과도 잘 어울려 지낼 수 있게 되었다. 물론 힘든 일이었지만 은경이 잘 할 수 있는 일이었고, 그녀는 하루하루 보람을 느꼈다. 그러면서 1년가량의 시간이 금방 지나갔다.

평온한 날이 계속될 것이라고 믿었다. 병원 복도에서 최준재와 마주치던 그날까지는.

그와 마주친 순간, 은경은 들고 있던 주사기 트레이를 떨어트리고 병원이 떠나가라 비명을 질렀다. 21년 전, 자신과 은아 언니를 지옥 속에 밀어 넣었던 그 악마, 그 남자가 바로 눈앞에...

상상조차 하고 싶지 않았던 일이 벌어진 것이었다.

은경은 공포에 사로잡혀 몸도 가누지 못했다. 너무 무서웠다. 무서워서 정신이 나갈 지경이었다. 떨어트린 트레이를 챙길 생각도 못하고 간호사 휴게실로 달려 들어가 바닥에 쓰러져 온몸을 웅크린 채 부들부들 떨었다.

그런데 은경은 이 두려움이, 최준재라는 남자에 대한 두려움인지,

아니면 최준재를 향한 들끓는 자신의 증오심에 대한 두려움인지 알 수가 없었다.

그리고 희한하게도, 지하실에 갇혔을 때 다쳤던 오른 손등의 상처가 욱신대기 시작했다. 이상한 일이었다. 이미 예전에 다 나은 상처인데...

그리고 그 후부터 시작된 끔찍한 자각몽.

무시무시한 살인의 광경이 애써 자신의 망상이라고 생각하려 했지만, 병원에 형사들이 찾아왔을 때는 현실이라는 걸 받아들일 수밖에 없었다.

그런 후에 최준재가 참혹하게 사망했다...

그리고 며칠 전, 빗속에서 자신을 바라보던 박동철 형사.

그 때 그가 한 말은 이거였다.

- 이연아.

그것은 입양되기 전에 불리던 자신의 이름이었다. 언니는 이은아, 자신은 이연아. 아마 박동철 형사는 어디에선가 눈치를 채고 은경을 조사하여 그녀가 21년 전의 그 이연아라는 걸 알게 된 듯 했다.

은경의 표정을 보고 말없이 돌아서나가던 박형사, 그런 그를 은경은 빗속에서 동상처럼 굳어버린 채 바라볼 수밖에 없었다.

은경은 최근에 자신이 꾼 꿈들을 떠올려보았다. 그건 그저 꿈일 뿐인가, 아니면, 그녀 자신이 발산한 격한 살의를, 살인은 금기라고 교육받은 그녀의 정신이 파괴되지 않도록 뇌가 현실을 뒤틀어 포장하여 인지하게 한 것일까.

이제 앞으로 어떻게 되는 걸까.

은경은 추운 가운데 하얀 입김을 살짝 뿜으며, 다리 아래로 흐르는 개천을 내려다보았다. 수정처럼 투명한 물결이 쉼 없이 흘러 내려가고 있었다.

참 아름답다.

그리고 이 아름다움 속에는, 수많은 고통과 죽음이 있다.

문득 뺨에 차가운 느낌이 들어, 하늘을 올려다보았다. 은회색으로 부드럽게 물결치는 흐린 하늘에서, 희디흰 눈송이가 떨어지고 있었다.

- 마침.